漫畫
國學常識
關鍵字

為思想盛宴加點笑料,治好你的國學營養不良症

鏟史官

序言

　　中華傳統文化的內容極為龐雜，包含哲學、宗教、歷史、地理、文學、藝術、醫學、術數、傳統技藝等領域。策劃這本圍繞術語的漫畫時，我們就在思考：如何透過對思想文化術語的解釋與演繹，讓讀者得以窺見傳統文化的全豹呢？首先，所選術語應該要涉及各個重要領域，而且應是各領域最具有基礎性和代表性的語詞及命題，特別是那些具有極為豐富思想內涵的。所以讀者會發現，呈現在本書中的術語就有這樣的特徵：「四書五經」是經學最主要的研究對象，「易經八卦」是中國哲學的重要源頭，「般若」是大乘佛教的基礎理論，「九州」是中國最早的地理概念之一，「科舉」是中國歷史上最有影響力的官員選拔制度，而「書法」的筆墨造型是中國美術的基礎。

　　另外，每一個基礎性術語又能帶出數個與之相關的術語，從而形成具有邏輯關係的術語群。一篇漫畫往往是對一個術語群的發揮。比如「書法藝術」這篇，既有介紹漢字書體發展的術語，如甲骨文、金文、大篆、小篆、隸書、楷書、草書、行書；也包含了關於書法創作理論的術語，如「書者，散也」；還有評價、鑑賞書法的術語，像「尊碑貶帖」、「識書之道」等。透過這個術語群，我們可以大致勾勒起中國書法的發展脈絡。

　　雖然漫畫著重於闡發術語的思想性，但也應注意漫畫本身的可讀性。為了讓讀者能以輕鬆的方式深入瞭解中國古代的思想與哲學，漫畫透過有趣的故事、事例來引導讀者。比如「般若」是佛教中一種艱深晦澀的哲學，而漫畫透過三個禪宗故事來逐步揭示般若哲學的含義，使枯燥的哲理變得饒有趣味。再比如「載舟覆舟」這一篇，漫畫分別舉了唐太宗、隋煬帝、漢文帝和曹操的例子，來展示古代統治者與百姓之間的辯證關係，透過正反兩面的例子證明，統治者只有以民為本，才是長治久安之道。還有的事例雖然情節簡單，卻意味雋永，像「年與紀年」篇中，透過清

末民初山西仕紳劉大鵬在《退想齋日記》中對西曆的吐槽，闡釋了這樣一個深刻的道理：在近代雙曆法結構下，新舊兩派人士選擇不同的時間體系，是因為他們的生活世界和意義世界迥異。

此外，為了易於讀者理解，漫畫往往以當下的流行文化、社會熱點作為引子，深入淺出地闡釋術語的涵義。比如「九州華夏」篇，以《冰與火之歌》、《魔戒》中的奇幻大陸引出中國上古的地理概念。「佛教『般若』」篇，以金庸小說中的少林「般若掌」引出「般若」的本來意義。「藏富於民」篇從中國當代的脫貧事業引出古代的富民思想。在漫畫的中間部分，也使用了許多生動有趣的例子來解釋晦澀難懂的思想。比如「易經八卦」篇中，用了股市的牛市、熊市來比喻《周易》中「否極泰來」的哲學思想，達到令人忍俊不禁的效果。在「四書五經」篇中，用金庸小說《笑傲江湖》中華山派氣宗、劍宗的對立，來比喻今文經學與古文經學的爭鳴，既形象又貼切。

最後，這12篇漫畫所闡釋的術語或術語群並不是孤立、分散的，而是具有內在聯繫的，大體上構成了中華思想文化的框架。編者在目錄中用了《論語》裡孔子的四句話「志於道，據於德，依於仁，遊於藝」來概括這12篇漫畫的內容。孔子這四句話講的是君子學習與進德的四個關鍵要素。本書在目錄中用這四句話，希望廣大讀者能透過閱讀本書，對中華思想文化有所瞭解、有所進益、增加心得。

目錄

志於道

四書五經（上）

孔子是如何把《五經》盤紅的？

今文派

古文派

談到中國傳統文化，
必然會提到——

「四書五經」
瞭解一下哈

四書五經

書中自有千鍾粟，
書中自有黃金屋，
書中自有顏如玉。

exciting！

在我們的印象中，
「四書五經」
不就是古代科考大綱嘛，
似乎與生俱來
就是一本書。

其實，

「五經」是五部經典，

「四書」也是四部作品的合稱。

而且，

「五經」的出現比「四書」要早。

「五經」是指《易》、《書》、《詩》、《禮》、《春秋》，
成書的時間段大致如下：

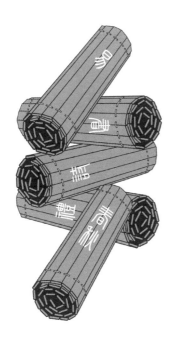

《易》（三皇–商末周初）

《書》（五帝–春秋中期）

《詩》（西周–春秋中期）

《禮》（西周）

《春秋》（東周春秋時期）

《易》創造了一套符號系統，
來概括宇宙規律。
古人喜歡用天道來推演人事，
《易》也是古人用來卜問人事的書。
商朝人用烏龜殼占卜，
周朝則更流行用蓍草①
來預測吉凶。

① 蓍草是一種多年生草本植物。古人認為長壽的生物具有智慧、靈性，所以商朝人用烏龜殼占卜；而蓍草多年生長，是草中的「壽星」，也被認為具有某種靈性。

《尚書》主要是
上古帝王的演講錄
及上古歷史文獻的彙編。
文辭最為古奧難懂，
是儒家政治思想的源頭。

堯帝

做為一個長者，
我有必要告訴你們
一點人生的經驗。

蒹葭蒼蒼，
白露為霜。
所謂伊人，
在水一方。

女娃子，走，
耍起⋯⋯

《詩經》是西周至
春秋中期的詩歌總集，
共收錄305首詩。
分為風、雅、頌三種。
風是各諸侯國的民間歌謠，
反映了各地的風土民情，
其中包含大量愛情詩。

奏個抖音神曲《98k》①
五倍速助助興！

您這是要
瘋啊？

雅是周王室宮廷宴饗
或朝會時的樂歌，
即所謂正聲雅樂。

① 原歌名為《HandClap》，「98k」是電玩
《絕地求生》裡一種槍的名字，原曲中
並沒有槍聲，網友截取歌曲其中一段並加
上富有節奏感的槍聲，再配上開槍鏡頭的
《絕地求生》遊戲畫面短片，使這首歌在
中國網路爆紅。因此《handclap》又被稱
「98k之歌」。

一杯敬故鄉，
一杯敬遠方，
……

頌是各國宗廟
祭祀的舞曲歌辭，
內容多是歌頌
祖先的功業。

《禮》最初是指《儀禮》，
該書記載了周代的
冠、婚、喪、祭、
鄉、射、朝、聘
等各種禮儀，
告訴人們在這些場合
應該有的儀容和行為舉止，
規約世道人心。

現在不少南方
的鄉村擺婚宴，
還有新郎／新娘
的大舅坐首席
的習俗。

掘地見母

《春秋》是魯國的
一部編年體史書，
記載了魯隱公元年（西元前722年）
到魯哀公十四年（西元前481年），
其間魯國與其他國家
所發生的大事。

《易》、《書》、《詩》、《禮》、《春秋》這五本最早並不叫作「經」。「經」的出現與春秋末期的一個人有關,他就是孔子。

春秋末期,
王道陵夷,禮崩樂壞,強凌弱,眾暴寡,
有識之士希望能夠改變這種社會狀況,
紛紛提出自己的政治主張。

春秋戰國救世三人組

無為而治

老子

墨子

兼愛非攻

孔子

為政以德

其中，
老子的著述被後世稱為《道德經》，
墨子的言論被編成《墨子》，
孔子則刪定《易》、《書》、《樂》、《詩》、《禮》、《春秋》六書，
並創建了**儒家學派**。

《禮》以節人，
《樂》以發和，
《書》以道事，
《詩》以達意，
《易》以神化，
《春秋》以義。

然而，**對戰國時期到秦朝的政治產生確切影響的，
既非道、墨，也非儒家，而是法家。**
春秋末年，韓、趙、魏三家分晉後，
歷史從此進入戰國時期，
各國紛紛變法圖強。

如何讓國家變得強大？

太好了。

商鞅

秦孝公

一個字「法」，制定律法
一定要嚴明，頒布的法令
一定要執行，這樣就OK了。

涼涼夜色為你思念成河
化作春泥呵護著我
......

秦國透過商鞅變法，迅速崛起，
最終六王畢，四海一。
統一天下後，
秦廷依然信奉法家的理念，
在六國故土強力推行秦律，
且施行嚴刑峻法，濫用民力，
致使秦朝滅亡。

秦二世

劉邦建立漢朝後，
繼承了一部分秦制，
但他意識到了
關東六國風俗各異，
便在郡縣推行漢律，
封國內則由藩王
因地制宜實施
相應的律法。

到了漢武帝時期，
西漢建國已經60餘年了，
真正的大一統提上了議程。
武帝用「推恩令」進行削藩，
完成政治上的統一；

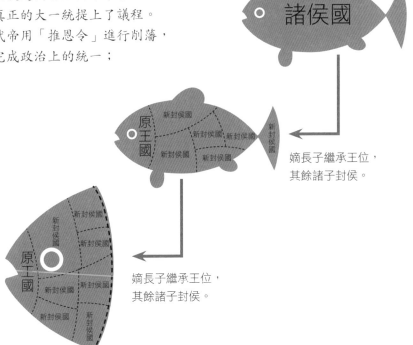

用儒學進行教化，
完成文化上的統一。

既然把儒學定為官學，就要設立相應的職務。

西漢建元五年（西元前136年），

武帝給《易》和《禮》設置博士（專掌經學傳授的官員），

與文、景二帝時期所立的《書》、《詩》、《春秋》博士

合為**五經博士**。

哲學博士 易經

政治學博士 尚書

倫理學博士 禮經

文學博士 詩經

歷史學博士 春秋

五經博士

經過漢武帝蓋戳認定後，《易》、《書》、《詩》、《禮》、《春秋》就成了官方的經典了。

這就是「五經」的由來。

看到這裡，大家或許有疑問，
孔子明明刪定了「六經」，
《樂》哪裡去了呢？弄丟了。
先秦的字是刻在書簡上，
數量本來就不多，再加上連綿戰火，
《樂》徹底失傳了。

其實不僅《樂》失傳了，
《書》、《詩》、《禮》、《春秋》當時也被燒了，
靠一些人口耳相傳才傳到了漢初。
這些經書多是用當時流行的「**隸書**」默寫出來，
所以叫「**今文經**」。

本來這樣也就沒事了，
但後來陸續發現了
一些被埋藏的經傳，
如孔子舊宅壁中挖出了《尚書》、《禮記》等，
這些書是用先秦的古文寫的，
所以叫「**古文經**」。

全是書啊，
連瓶酒都沒有⋯

古文經不但與今文經字體不一樣，而且
有些篇目和內容也不一樣。這就意味著
二者的區別不只是版本，還有思想。

漢哀帝時，
領校祕書（大概相當於國家圖書館館長）劉歆，
指責今文經為秦代焚書之餘，殘缺不全，
請立古文經於學官（高等學府）。
漢哀帝正迷戀男寵董賢，並沒有理他。

陛下，十萬火急！
今文經不是全經，也不是真經，
國朝被那幫偽大師騙了兩百年，
請改用《毛詩》、《左傳》等
古文經！

領校祕書・劉歆

哦～

漢哀帝

董賢

隨後，**王莽改制，提出「王田」的主張**，
想將土地收歸國有，
他利用古文經《周禮》①
關於井田制的說法，以為施政依據，
古文經學地位因此得以提高。

① 《周禮》世傳為周公旦所著，記載
　先秦時期社會政治、經濟、文化、
　風俗和禮法等。

到了漢平帝時，
又設立了五個古文博士，
用來對抗今文派。
從此，就像《笑傲江湖》中的
華山派分裂成氣宗和劍宗一樣，
儒家也分裂成
今文派和古文派。

今文派認為六經皆孔子所作，
視孔子為託古改制的「素王」①，
注重闡發經文的「微言大義」，
主張通經致用，
以董仲舒、何休為代表，
最重《春秋公羊傳》。

① 素王，雖無帝王位分但卻有
王者品德和影響力的人。

而古文派崇奉周公,
視孔子為「述而不作,信而好古」的史料整理者,
偏重訓詁考據,
以劉歆、賈逵等為代表,
最重《周禮》。

不僅如此，
兩派學習五經的順序也不同。
今文派排成
《詩》、《書》、《禮》、《易》、《春秋》，
由淺入深；

古文派則為
《易》、《書》、《詩》、《禮》、《春秋》，
依時排序。

東漢時期，兩派決裂。
東漢初，**劉秀**利用讖語贏得了天下後，
廢除古文，設立今文經十四博士，
再次確立今文經學在官學中的統治地位。

我能寵得你喪失
生活能力！

陛下，您是天子，
說話要注意身分。

東漢光武帝

劉秀

東漢今文大師

范升

我法眼一睜，
就知道你們是
一群什麼樣的
妖孽。

東漢古文大師

馬融

風水輪流轉，
東漢中期以後，古文派高手輩出，
以實力贏得高官，門下弟子幾千人，
勢力極盛。
古文派紛紛批評今文派附會讖緯，
流於妖妄。

到了**東漢末期**，
一位叫鄭玄的**古文派高手**，
直接把今文派給兼併。
從此以後，
今文派就一蹶不振了。

東漢經學大師

鄭玄

走別人的路，
讓別人無路
可走！

青青陵上柏，
磊磊澗中石。
人生天地間，
忽如遠行客。

然而，
古文派獨霸天下的局面
並沒有能維持多久。
自漢末三國，到魏晉南北朝，
期間約四百年，戰亂紛繁。
世人少了建功立業之心，
多了人生無常之感。

這四百年間，
以《周易》義理和老莊思想為基礎的**玄學**、
從古印度傳入的**佛學**等相繼興起，
致使整個儒學的影響力都江河日下。

我欲修仙，
得道升天。

竹林七賢之一

嵇康

儒學不只是單純的知識，還是一種規控政治
運行的意識形態，也是指導人們日常行為的
價值倫理。所以，儒學的衰落在當時直接影
響到了政治體系的運轉和社會秩序的穩定。

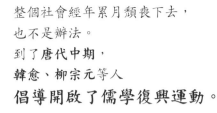

整個社會經年累月頹喪下去，
也不是辦法。
到了**唐代中期**，
韓愈、柳宗元等人
倡導開啟了儒學復興運動。

唐憲宗·李純

努力不一定成功，
但不努力一定很舒服。

陛下，此言差矣！
所謂天行健，君子
以自強不息。

節度使們都各玩各的，
寶寶心裡苦。

中書舍人·韓愈

尊王攘夷！

柳宗元和韓愈是怎麼復興儒學的？
「四書」又是怎麼興起的？請接續看
《四書五經（下）》哦。

五經
Five Classics

《詩》、《書》、《禮》、《易》、《春秋》等五部儒家經典的合稱。先秦時期有「六經」之說，指《詩》、《書》、《禮》、《樂》、《易》、《春秋》，因《樂》已亡佚（一說無文字），故漢代多稱「五經」。從漢武帝（西元前156-前87年）立「五經博士」起，「五經」之學成為中國學術、文化和思想的根本。從內容上來說，「五經」各有所偏重，如《詩》言志、《書》言事等，因其不同而互補，故構成一個整體。歷代儒者透過對文本的不斷解釋，為這些經典賦予了豐富的意義。「五經」之學包括了中國傳統文化對於世界秩序與價值的根本理解，是「道」的集中體現。

引例：
◎「五經」何謂？謂《易》、《尚書》、《詩》、《禮》、《春秋》也。（《白虎通義·五經》）
（「五經」是什麼？是《易》、《尚書》、《詩》、《禮》、《春秋》等五部典籍。）

網友熱議

Antonio.Lee

沒有法家的嚴峻，儒家沒法獨挑大梁，沒有儒家的寬仁，法家沒法長治久安。

江山風雨情

其實，儒家思想有其可取之處，只是一千個人有一千個哈姆雷特，每個人都有自己的看法。各人看法不一，不少所謂的儒生斷章取義，曲解那些經典，比如一句「以德報怨」，孔老夫子說的可是「以德報怨，何以報德？以直報怨，以德報德」。說白了就是，你敢動手我就還手。但後世，尤其是

大明的文官，整天就知道以德報怨一句，結果大好的江山拱手讓人。對那些豺狼虎豹，刀劍才是最好的回報。和他們談儒家思想？對牛彈琴吧！

凱迪拉　　　　官官，《易經》和《周易》有什麼區別？《春秋》是《左氏春秋》還是《春秋公羊傳》？

> 鐘史官：廣義的《易經》就是指《周易》，《周易》裡頭分「經」和「傳」，狹義的《易經》指《周易》中的「經」。《春秋》是一部記事非常簡略的史書，相當於新聞標題的集合。《公羊傳》、《穀梁傳》、《左傳》都是來解釋《春秋》的書，《公羊傳》、《穀梁傳》主要解釋《春秋》的義理，《左傳》主要為《春秋》補充史料。

七年　　　　　之前瞭解過子夏，覺得法家思想在一定程度上也是發軔於儒家思想。子夏開西河學派，教授出李悝、吳起兩位法家代表人物。子夏生活在春秋戰國之交，看到了儒家的不足，發展出以法補儒。法其實也是在禮的基礎上發展而來，儒法並存或者說外儒內法，才是兩千年來中國思想的核心。

志於道

四書五經（下）

古代讀書人為什麼必讀這些書？

上回說到，
經過魏晉南北朝四百年的分裂戰亂，
整個社會的空氣中都充滿了
佛系的氣息。

整個社會經年累月頹喪下去，也不是辦法。
到了**唐代中期**，
韓愈、柳宗元等人
倡導開啟了儒學復興運動。

韓愈的《原道》就是一篇
復古崇儒的經典之作，
該文有三大要點：

社會這麼喪，
大家問我怎麼辦。
必須把和尚、道士還俗為民。
燒掉佛經道書。把佛寺、道觀
變成平民的住宅。①

韓愈

第一點，攘斥佛老。
以上古以來社會歷
史的發展為證，表
彰了聖人及其開創
的儒道在歷史發展
中的巨大功績，批
評了佛老二家消極
避世的態度。

① 《原道》內的原文為「人其
　人，火其書，廬其居」。

韓愛卿
說得太對了。
亂臣賊子
人人得而誅之！

唐憲宗·李純

第二點，尊王攘夷。
強調君臣綱常和夷夏
之防，將矛頭指向藩
鎮。藩鎮割據之地，
朝廷政令不行，租賦
不入，這樣的亂臣賊
子，正在可誅之列。

上面兩點是韓愈的現實關懷，
第三點則影響更加深遠：
提出儒家的「**道統**」。
韓愈認為，儒家有一個始終一貫的有異於佛老的「道」，
這個道的傳承脈絡是——

堯→舜→禹→湯→文王→武王→周公→孔子→孟子

其中，堯、舜、禹、湯、
文王、武王這幾個人，
不但各為當時的聖人（聖），
還是當時最高的統治者（王），
這叫「聖王合一」。
金庸在《鹿鼎記》中就戲謔地
寫到了這點。

38

到了周公、孔子、孟子，道術為天下裂，
這三人只是儒家的聖人，並沒有王位。
孟子之後更悲催，儒家的心法失傳了，
這叫「獨存心法不見心傳」。

涼了涼了，
接班人
太難找了。

孟子

「心傳」這個詞，來自禪宗，原意是
指不立文字，不依經卷，唯以師徒心
心相印，傳授佛法。由此可以看出佛
教對儒家潛移默化的影響。

還是那句話：
走別人的路，
讓別人無路可走。

北宋理學開山鼻祖・周敦頤

到了**北宋**，
儒學復興運動形成了
一股普遍的社會思潮。
北宋的儒生不僅「原道」
（推原、還原儒家的價值體系），
還吸收佛老的心性理論，
創建了一套新的儒學解釋體系，
即**理學**。

周敦頤為北宋理學的開山鼻祖，
邵雍是先天象數學的創立者，
張載發展了「氣一元論」，
二程（程顥、程頤）建立了以「理」為核心的學說體系，
五人合稱「**北宋五子**」。

北宋五子

周敦頤（掌門人）

張載（練氣師）

邵雍（算卦的）

程顥、程頤兄弟（雞湯達人）

以上只是流俗的解釋，

切勿當真。

概而言之，

從北宋中期開始，理學派開始崛起，

但集大成者是**南宋**的**朱熹**。

朱熹將「**天理**」視為最高範疇，
「理」的表現是「氣」，
「**氣**」派生出萬物。
這意味著人類社會的倫理秩序
與宇宙的秩序一致，
也就為道德存在和永恆不變
找到了哲學依據。

夫妻，天理也，
三妻四妾，人欲也。
存天理，滅人欲。

朱熹

好人卡！

你是一個好人

理學要解決一個問題：
避免長期的亂世。
避免戰亂就要致治，
致治的關鍵在人心。
如果人人都止於至善的話，
天下就會清平。
所以，理學也是**心性之學**
（內聖之學）。

問題來了，
儒家的經典尤其是「五經」，
談心性的內容並不多。
不像道家和佛家的著述，
分分鐘教你成仙成佛。

理學派內功的修煉方法，
全在我這本書中。

朱熹

基於此，
朱熹從《禮記》中抽出
《中庸》、《大學》兩篇文章，
與《論語》、《孟子》
合為「四書」。
這就是「四書」的由來。

《**大學**》相傳為孔子弟子**曾參**所作，
是一篇論述儒家
修身齊家治國平天下思想的文章，
其內容強調修己是治人的前提，
修己的目的是為了治國平天下。

大家跟我讀：
「大學之道，在明明德，
在親民，在止於至善。」

先生，
「明明德」
是什麼意思？

第一個「明」字是彰明的意思，
第二個「明」字是光明的意思。
「明德」指的是光明正大的德行，
「明明德」就是彰明光明正大的德行，
也就是**彰顯人性中
天生具有的良知**。

如何解釋「中庸」呢？

就拿做人來說，一個人質樸是
好的，但一點修養都沒有，就
會顯得粗魯；相反，如果過於
文飾，則難免裝腔作勢，顯得
虛偽。

那如何是好？

文質彬彬，然後君子。

《**中庸**》相傳為孔子孫子**子思**所作，
是一篇論述**人生修養境界**的文章，
其內容肯定「中庸」
是道德行為的最高標準。

「中庸」
是什麼意思？

「中」是折中，
「庸」是平庸，
老師，這個解釋
是不是很君子？！

錯！
「中」是**無過無不及**，
「庸」是**恆常**。

《論語》記錄了孔子的言論和事跡，
是孔子與其弟子及他人的問答記錄，
其基本哲學和倫理思想是「仁」。

俺的中心思想是個「仁」，
「仁」的表現是：
己欲立而立人，己欲達而達人；
己所不欲，勿施於人。

孔子

惻隱之心，
人皆有之。

《孟子》是戰國中期
孟子及其弟子所著的一本書。
孟子自覺地將孔子仁學
作為自己仁學的起點，
透過對「為仁之方」的論述，
建立了自己的心性論。

孟子

概而言之，
「四書」的根本是教人如何做人，
告訴人們做人的尊嚴，
人格的力量，
人生的價值與意義。
其最高的境界如
「北宋五子」中的
張載所說——

為天地立心，
為生民立命，
為往聖繼絕學，
為萬世開太平。

張載

宋元以後，
「四書」成為學校官定教科書
和科舉考試必讀書，
理學對宋明兩代產生了深遠的影響。

考題出自
《孟子·梁惠王下》
「寡人有疾，寡人好色」。

至此，我們總結一下，今文派把孔子看成政治家，「五經」是改制之說；古文派把孔子看成史學家，「五經」是史料之書；理學派把孔子看成哲學家，「四書五經」是載道之書。

水滿則溢，月盈則虧。
任何一種學說成為官學，
時間久了都容易變味，
理學之弊在於容易流於空疏。

真道學之務虛——
平時袖手談心性，臨危一死報君主。

假道學之虛偽——
滿口仁義道德，心裡男盜女娼。

空談誤國

明末清初思想家・顧炎武

到了**明朝末年**，
整個社會風氣「文勝於質」
（文飾勝過了質樸）。
明清易代之後，
明朝的遺民紛紛
反思晚明空疏的學風
給社會帶來的惡劣影響。

清朝中期，漢學開始復興。
乾嘉學派繼承了古文派的辨章精神，
常州學派則發揚了今文派的經世理念，
藉闡發孔子「微言大義」
表達自己的致用態度，
影響了後來的林則徐、龔自珍、魏源等人。

晚清救世三人組

清朝末年，內憂外患。
今文派再度興起，
康有為刊出《新學偽經考》、《孔子改制考》，
打著今文派的旗號，宣揚託古改制。

康有為認為，
歷代統治者所尊崇的古文經典，
都是西漢末年劉歆偽造的，
目的是幫助王莽篡漢，
因此都是「偽經」。

古文派是異端。

康有為

史學家　改革家　老人家

孔子

學理上的邏輯是這樣的：
既然古文派造假，
那麼孔子就不是
「述而不作」的史學家，
而是「託古改制」的素王，
刪定「六經」是為了「以俟後聖」。

對應政治上的邏輯是：

沒必要恪守祖訓，要因時而動。

如此一來，就為改良奠定了理論基礎。

遺憾的是，戊戌變法103天就失敗了，

今文派的耀眼光芒也就成了夕陽殘照。

戊戌六君子

戊戌政變時，以慈禧太后為首的封建頑固派大肆捕殺維新黨人，維新志士譚嗣同、康廣仁、林旭、楊深秀、楊銳、劉光第六人於西元 1898 年 9 月 28 日在北京慘遭殺害，史稱「戊戌六君子」。

西元1905年，清政府廢除科舉。
西元1912年，南京臨時政府
教育總長蔡元培廢除讀經。
從此，「四書五經」
不再作為官學的主要教材。

「四書五經」是儒家思想的核心載體，曾
對中國及東亞其他一些國家造成廣泛而深
遠的影響。時至今日，其所載內容及哲學
思想對我們現代人，依然具有一定的意義
和參考價值。

四書
Four Books

《論語》、《孟子》、《大學》、《中庸》等四部儒家經典的合稱。《大學》、《中庸》原是《禮記》中的兩篇，在唐代以前，並沒有引起人們的特別重視。隨著唐宋以來儒學的復興，《大學》、《中庸》經過唐代韓愈（西元768-824年）、李翱（西元772-836年）的表彰，宋代程顥（西元1032-1085年）、程頤（西元1033-1107年）、朱熹（西元1130-1200年）的推崇，被賦予了新的意義，其地位逐漸提升，與《論語》、《孟子》並列，合稱「四書」。朱熹所著《四書章句集注》確立了「四書」的經典地位。「四書」成為了宋明理學家創建、闡發自身思想的重要素材，對後世儒學的發展產生了深遠影響。

引例：
◎如《大學》、《中庸》、《語》、《孟》四書，道理粲然。（《朱子語類》卷十四）（如《大學》、《中庸》、《論語》、《孟子》四部經典，其中的道理明白易懂。）

網友熱議

拉基米爾‧勞斯基　　今人不讀經典，對儒之一道，多有偏見，三從四德不是儒，何為儒，修身齊家治國平天下之道也。

吹笛幽夢　　　　　　佛為心，道為骨，儒為表。三千年讀史，不外功名利祿。九萬里悟道，終歸詩酒田園。

Antonio.Lee	科舉發展到明清，確實存在僵化和腐朽的一面，但不可否認，以科舉制選拔人才，確實打破了魏晉南北朝的士族地主壟斷的門閥制度，中國政治過渡到了相比於先前要好的庶族地主階級統治。
清澈的眼神	最後一句「依然具有一定的意義和參考價值」，我認為應該是「具有重要的意義和參考價值」。儒家思想已經深深印在所有中國人的思想內核裡。誠以待人、言而有信、為人正直、孝敬父母、關愛他人等等這些做人的基本準則，都是儒家的核心價值觀，也流淌在中華民族的血液裡。
七月	學術一旦囿於門戶宗派，黨同伐異，不啻為畫地為牢，自絕活路。佛老超脫修己，和光同塵，不從流俗；儒法務在治世經國，編戶齊民，建大同社會。一個更多向內，一個更多向外。《漢書·藝文志》言：「今異家者各推所長，窮知究慮，以明其指，雖有蔽短，合其要歸，亦《六經》之支與流裔……若能修六藝之術，而觀此九家之言，捨短取長，則可以通萬方之略矣。」體現了兼容並蓄的精神。

志於道

易經八卦

古人如何用一套符號
解釋全宇宙？

算卦

易

今天，各種「八卦」新聞充斥著大小螢幕，
吸引著人們的眼球。
在流行語中，「八卦」一般用於
跟娛樂明星、公眾人物相關的花邊新聞，
而且多是沒有根據的傳聞。
久而久之，「八卦」原本的意義與用法
反而出現頻率越來越低了。

看！你家偶像出軌了，
被狗仔拍到了。

這麼狗血？
果斷粉轉黑！

這種八卦你們也信，
照片明顯是P的。

事實上，八卦是老祖宗的智慧
結晶，是老祖宗用來理解和闡
發宇宙構成及其運行法則的一
套符號系統，這套符號系統就
包含在《周易》這部書中。

那麼，這套符號系統是如何產生、發展的呢？
最早，華夏先民透過觀察，認識到**宇宙萬物中
普遍存在著相生相成的兩面或兩種勢力**，如天
地、晝夜、男女、勝負、寒暑……
於是，古人把宇宙萬物中相互對立的
這兩面或兩種勢力稱為**陰陽**。

陽

陰

萬物負陰而抱陽，
沖氣以為和。

按照古人的理解，
凡是動的、熱的、在上的、向外的、
明亮的、亢進的、剛健的為「陽」，
凡是靜的、寒的、在下的、向內的、
晦暗的、減退的、柔順的為「陰」。
陰、陽的相互作用決定萬物的生成及存在狀態。

古人用一長橫「一」來表示陽，

用兩短橫「--」來表示陰。

這種用來表示陰陽的符號叫作「爻」。

每三爻構成一卦，一共有八卦，分別是：

乾 ☰ 坤 ☷ 震 ☳ 巽 ☴ 離 ☲ 坎 ☵ 艮 ☶ 兌 ☱

教你一首《八卦取象歌》，
一次記牢八卦——

· 直播中

周易本義
宋·朱熹撰

乾三連。☰
坤六斷。☷
震仰盂。☳
艮覆碗。☶
離中滿。☲
坎中上鐵。☵
兌下斷。☱
巽下斷。☴

晦翁

🛒影片同款書籍

♡
100W

💬
66.6w

@朱熹的枯燥生活
大宋慶元四年最紅直播來了！

古人用「八卦」象徵自然界的八種基本物質：

天、地、雷、風、水、火、山、澤。

後來，隨著八卦的廣泛運用，
其象徵意義不斷擴展增益，
如八個方位、八種動物、
八種人體器官、八個家庭成員等等。

乾 ☰   象徵天

坤 ☷   象徵地

震 ☳   象徵雷

巽 ☴   象徵風

離 ☲   象徵火

坎 ☵   象徵水

艮 ☶   象徵山

兌 ☱   象徵澤

後來，
古人又把八卦兩兩重疊，形成**六十四卦**，
每卦由兩個八卦組成，
稱為下卦和上卦。

**每一卦含有六爻，
爻的順序從下往上數，**
依次稱初、二、三、四、五、上，
象徵著事物從萌芽到終極的發展進程。
古人創造這樣一套符號系統，

是為了預測人事的吉凶。

坤

上爻

五爻

四爻

三爻

乾

二爻

初爻

泰卦

古人認為，六十四卦象徵著
六十四種事理、現象的特定情態，
而每一卦中六爻之間
的陰陽交互變化，
又顯示出各種事理的發展規律。
因此，古人給每一卦、
每一爻都撰寫了卦辭、
爻辭，用來判定吉凶，
這就構成了《周易》
這部書的最初部分，
也稱為《易經》。

卦辭上說「利涉大川」，
說明你運氣來了，
門板都擋不住。

算卦

用**烏龜殼**預測吉凶，
叫作「卜」。

烤烏龜殼

《周易》的「周」，
多數學者認為是指**周代**的國號，
而「易」就是指變易，
因為《周易》最早是占卜用書，
陰陽變易才能成卦。
周人習慣用50根蓍草的草莖來占卜
（實際只用49根）。

還要多久才能算出來？

你這突然一說話，
我忘了數到幾了。

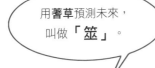

用**蓍草**預測未來，
叫做「筮」。

巫師

哦……那您慢慢數，
我補個眠先。

周人占卜時，
用雙手將49根草莖隨機分為兩把，
從右邊一把中取出一根
夾在左手小指和無名指間，
再四根一組地數兩把草莖的餘數，
把數剩下的草莖分別
夾在左手的無名指、中指間。
像這樣演算三次，
才得到一爻的結果，
演算18次才能成卦，還要經過變卦，
才能使用卦辭或爻辭來預測吉凶。

《周易》占卜的實質是一種「順勢巫術」[1]，
也就是用雙手分、數草莖的過程
來模擬、象徵宇宙的運行。
比如將草莖隨機分為兩把，象徵天地兩儀；
四根一組地數，象徵四季；
把數剩下的草莖夾在手指間，象徵閏月。

① 英國人類學家弗雷澤（James G. Frazer,
1854-1941）把原始巫術分為兩類：一
類是順勢巫術，透過模仿來實現巫師想
做的事；另一類是接觸巫術，透過曾
被某人接觸過的物體而對其本人施加影
響。

到春秋戰國時期，許多人都研究《易經》。
儒家學派給《易經》做了詳細註解，
闡釋卦爻中蘊含的哲理，
並用它解釋人世的
運行法則與君子之道，
這些註解就是《易傳》。

《易傳》總共有七種[2]，分為十篇，
後人比喻為「十翼」。

翻車了！
穿《易》的牛皮繩子又被我翻斷了，
讀《易》不易啊。

孔子

這就是傳說中的……
韋編三絕！

[2] 《易傳》包括《彖》、《象》、《文言》、《繫辭》、《說卦》、《序卦》、《雜卦》。《易經》和《易傳》合起來就構成了通行本的《周易》。

春秋戰國時期，人文與理性的精神不斷興起，
而諸子百家把這種新的精神也注入到《周易》中。
比如乾卦的卦辭「**元亨利貞**」，
當代有學者認為，其本來意義可能是：
可以舉行大享祭禮，利於占問。
而儒家卻將其解釋為君子的四種美德。

古人把《周易》的成書歸功於三位聖人：

伏羲氏觀察宇宙萬物，畫成了八卦；

周文王被囚羑里時，將八卦重疊，

推演出六十四卦，並撰寫了卦辭、爻辭；

而**孔子**創作了《易傳》。

據近現代學者推測，《易傳》作者當是孔門後學，

六十四卦誕生在西周時期，

而**八卦**應該產生於更加久遠的年代。

《周易》中的卦爻的吉凶並非是憑空產生的，
而是由「象」和「數」決定的。
「象」是指卦爻所象徵的事物，
「數」則指陰陽奇偶之數與占卜時的演算之數。
漢代研究《周易》的學者都十分重視象數。

舉個例子，假如占得了明夷卦（），下卦是離，
象徵火，上卦是坤，象徵地，
整個卦就象徵著太陽入於地中，
光明殞傷，很不吉利。
其卦辭的大意是：
君子在艱難的時勢中自守光明。
明末清初的學者黃宗羲用「明夷」命名
他的著作《明夷待訪錄》，
就表示自己正處於易代之際，
準備在黑暗中恪守正道，等待明君來訪。

黃宗羲

明夷待訪錄

黑夜給了我黑色的眼睛，
我卻用它尋找明君。

明君……　　　唉。

明君，
難道在說我嗎？

康熙

……

明夷待訪錄

易經八卦　　67

在《周易》中，偶數屬陰，奇數屬陽，
所以在六爻中，初、三、五是陽位，
二、四、上是陰位，
如果陽爻處陽位、陰爻處陰位，就是當位，
否則就是不當位。
一般來講，當位比較吉利，
不當位較為凶險。
但這並非絕對標準，
會隨著實際情況而改變。

這就好比一個
德薄才淺的人位高權重，
就像這樣：

權重

位高

←德薄才淺

老師，
為什麼當位與否
會影響吉凶呢？

你說能吉利嗎？

老師，我懂了……
可是……

咱能不能找個
不這麼刺激的地方討論？

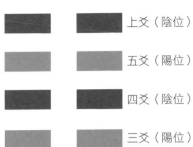

		上爻（陰位）
		五爻（陽位）
		四爻（陰位）
		三爻（陽位）
		二爻（陰位）
		初爻（陽位）

師卦

比如在師卦（䷆）中，
四爻、上爻當位，爻辭都比較吉利；
初、二、三、五爻不當位，
初爻、三爻都較凶險，
但是二爻吉利，五爻有吉有凶。
這是怎麼回事呢？
因為二、五爻位於下卦、上卦的中央，
是決定卦象的關鍵爻，
往往並不遵守當位與否的規則。

漢朝人解釋《周易》，
太繁瑣、太迷信了。

王弼

《周易》更有價值的，
是它的義理啊。

魏晉式思考

決定卦爻吉凶的象數規則有很多，
以上僅舉幾例。
象數不但是瞭解占卦的門徑，
也是《周易》哲理生發的基礎。
從魏晉玄學家王弼起，
　　　學者們開始關注
　　　《周易》的「**義理**」，
　　　即其中蘊含的哲學思想。
　　　到了**宋代**，
　　　義理派更加發揚光大。

以孔子為代表的儒家學派
對《易經》所包含的哲學思想
進行了引申和理論升華，
他們的觀點主要保存在《易傳》中，
主要如下：

一 宇宙生成論

《繫辭》相當於《周易》的通論。
從哲學角度看，太極是指天地未分的統一體，
是世界的本原，
兩儀就是指天、地，
四象就是指春、夏、秋、冬四季。

兩儀生四象

《繫辭》的作者認為：
「《易》與天地準。」
《周易》用一套樸素的**卦爻**符號體系模擬、
演示了宇宙萬物的生成過程：
世界的本原——**太極**不斷分化，
形成天地四時、自然萬物，
進而產生人類社會。

有了一年四季，
莊稼才能豐收；
莊稼豐收了，
人們才能吃飽飯。

二 簡易、變易與不易

西漢有一部易學著作認為，
《周易》的「易」包含了三種意義：
一是簡易，二是變易，三是不易。
《周易》中蘊含的辯證思想，
可以透過這「三易」來解讀。

「三易」是什麼意思？

是變懶容易、
變胖容易、
變窮容易嗎？

別急，聽我解釋。

首先是簡易。

《繫辭》說：「一陰一陽之謂道。」

陰陽最初指物體對於日光的向背，

後來引申指宇宙間最基本的兩種對立統一的矛盾勢力或屬性。

宇宙萬物的各種變化，都可以用陰陽來解釋，可謂萬變不離其宗。

用簡易的道理來解釋複雜的事物，

這就是《周易》的「簡易」。

其次是變易。

《繫辭》講:「生生之謂易。」

意思是:天地萬物處於永恆的生成、變化之中。

也就是說,陰陽始終處於相互推移、相互轉化中,

陰陽的交互作用構成了萬物生生不息的內在動力。

正如晝夜的交替轉化,構成了時間的推移。

這正是宇宙萬物的根本規律,

也是人類道德善行的根本來源。

舉個例子，泰卦（䷊）下乾上坤，
象徵天地交通，卦象非常吉利，
但上爻卻比較消極，
因為事物通泰到了極致，必然會走向衰敗。
而否卦（䷋）下坤上乾，
象徵天地閉塞，十分不利，
但這一卦的上爻卻象徵著轉危為安、否極泰來。
這正是陰陽交互的必然規律。

比如股市裡的牛市和熊市……

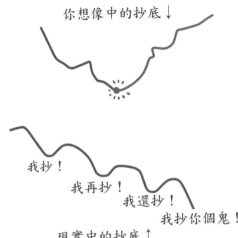

你想像中的抄底↓

我抄！

我再抄！

我還抄！

我抄你個鬼！

現實中的抄底↑

再次是不易。

也就是指宇宙萬物的變化之中，
存在某些不變的規律和秩序。

儒家認為，
天在上、地在下，君父尊、臣子卑，
這是恆定不變的自然規律和倫理秩序。

從哲學角度講，
「不易」可以理解為，
宇宙萬物的終始變化，
這一規律本身是永恆不變的。

也就是說，《周易》第一次對人類所處的
世界本體做出了解釋，用一種樸素的方式
揭示了宇宙萬物、人類社會的秩序及變易
規律。

非但如此，《周易》還對中國人的宇
宙觀、人生觀、認識論、思維方式產
生了極其深遠的影響。它對中國思想
文化的影響主要如下：

一、君子之德

乾卦（☰）六十四卦中的首卦，
六爻純陽無陰，
爻辭用龍的六種形態
來象徵天道陽氣的運行規律。
從初爻「潛龍勿用」
到五爻「飛龍在天」，
象徵陽氣從初生發展
到盡善盡美的過程，
而上爻「亢龍有悔」，
則象徵著陽氣盛極必衰。

飛龍在天……
亢龍有悔……
怎麼有種
熟悉的感覺？
莫非……

喬峰！

飛龍在天！

降龍十八掌
是一門純陽至剛的掌法……
以威猛力道稱雄江湖。

而儒家認為，乾卦講的是君子奮發圖強的德行。

《象傳》說：

「天行健，君子以自強不息。」

意思是，天道運行剛健有力、永不停息，

所以君子也應當自強不息。

但自強並非一味蠻幹

而是等待時機成熟後，透過不斷努力，

使事業發展到「飛龍在天」的完美狀態。

坤卦（☷）則恰恰相反，

六爻全部為陰，

象徵大地順從於天道的運行，

滋養著萬物的生長。

《象傳》說：

「地勢坤，君子以厚德載物。」

儒家認為，君子應該像大地一樣，

以寬厚的美德包容承載萬物。

「自強不息，厚德載物」

已成為北京清華大學的校訓。

西元1914年，梁啟超在清華學校發表《君子》演說。

《周易》中還蘊含著儒家所肯定的最高德行──中庸。

「中」是指保持恰當的限度，超過與不及都不理想；
而「庸」是指一種恆常的狀態。
在六十四卦中，許多卦的上爻都顯示出與全卦相反的面貌，
說明事物發展到極致，必然難以保持恆久。
所以，君子居於高位要保持警惕，
知進退，恪守正道，才能恆久。

二、變革精神

當事物發展到窮極時，
想要再次達到恆常狀態，
根本方式在於變革。
正如《繫辭》所說：
「窮則變，變則通，通則久。」
意思是，君子應當趁著窮極狀態時，
尋找變化的契機，促成事物的變革，
以實現通順而長久的發展。

> 我秦國受到東方列國孤立，
> 窮得快要吃土了。

秦孝公

> 大王如果要想稱霸諸侯，
> 必須改革制度，
> 推行富國強兵政策。

商鞅

> 奧利給！①

① 中國網路用語，意為「加油！」

古人給六十四卦排了一個順序，
以象徵宇宙周而復始的運行規律。
在通行本《周易》中，
革卦（☱☲）和鼎卦（☲☴）是緊挨著的兩卦，
革卦象徵變革舊的事物，鼎卦象徵創造新的事物。
於是，後人用「革故鼎新」來表達改朝換代或重大政治變革。

商湯流放夏桀，武王討伐商紂，真有這回事？

難道臣子可以弒君嗎？

史書上有記載，叫作「湯武革命」。

齊宣王

孟子

像夏桀，商紂這樣破壞仁義的人，我們稱之為「獨夫」。武王只是誅殺獨夫而已，並非弒君。

除了上面提到的內容，我們今天使用的詞彙還有很多是來自《周易》的。

比如？

比如群龍無首、修辭立誠，天地玄黃、無妄之災、不速之客、虎視眈眈、謙謙君子、殊途同歸……

總而言之，《周易》最初是一部占卜用書，
經過儒家的解釋，成為一部哲學專著，並流傳至今。
17世紀時，法國傳教士白晉（西元1656-1730年）將其介紹到歐洲。
儘管萊布尼茲發明二進制與《周易》並無關聯，
但並不妨礙它成為國際公認的人類智慧結晶。

德國哲學家・數學家・微積分發明者之一・萊布尼茲

中國人的六十四卦構成原理，
與我新發明的二進制不謀而合。

噫～不要臉，
什麼都跟你
不謀而合。

英國物理學家・數學家・微積分發明者之一・牛頓

卦爻
Trigrams/
Hexagrams and
Component
Lines

「卦」是由「—」和「--」排列組合而成的一套符號系統,其中的「—」為「陽爻」,「--」為「陰爻」。每三「爻」合成一卦,可得「八卦」。每六「爻」合成一卦,可得「六十四卦」。「卦爻」的產生與占筮有關。古人透過分取蓍草,演算其變化之數,從而確定卦爻,以預測吉凶。後人為卦爻賦予各種象徵意義,並用以理解和闡發包括人事在內的天地萬物的運行變化及其法則。

引例:
◎八卦成列,象在其中矣;因而重之,爻在其中矣。(《周易·繫辭下》)(八卦創立分列,萬物的象徵就在其中了;根據八卦重成六十四卦,所有的爻就都在其中了。)
◎聖人有以見天下之動,而觀其會通,以行其典禮,繫辭焉以斷其吉凶,是故謂之爻。(《周易·繫辭上》)(聖人看到天下萬物的運動變化,觀察其中的會合貫通之處,從而施行制度禮儀,在「爻」下附繫文辭以判斷吉凶,所以稱之為「爻」。)

陰陽
Yin and Yang

本義指物體對於日光的向背,向日為「陽」,背日為「陰」。引申而有兩重含義:其一,指天地之間性質相反的兩種氣。其二,指兩種最基本的矛盾勢力或屬性,凡動的、熱的、在上的、向外的、明亮的、亢進的、強壯的為「陽」,凡靜的、寒的、在下的、向內的、晦暗的、減退的、虛弱的為「陰」。「陰」、「陽」或「陰氣」、「陽氣」的相互作用決定著萬物的生成及存在狀態。陰陽理論後來成為古人說明和理解宇宙萬物、社會和人倫秩序的基礎,如天陽地陰、君陽臣陰、夫陽妻陰等,

陽貴陰賤，陽主陰從。

引例：
◎萬物負陰而抱陽，沖氣以為和。（《老子・
四十二章》）（萬物背陰而向陽，陰陽兩氣互相激盪
而成調和狀態。）
◎陰陽無所獨行。（董仲舒《春秋繁露・基義》）
（陰與陽不能單獨發生作用。）

八卦
Eight Trigrams

由「─」（陽爻）和「--」（陰爻）每三個一組
合成的一套符號系統。三「爻」合成一卦，共有
八種組合，故稱「八卦」。「八卦」的名稱分別
是乾（☰）、坤（☷）、震（☳）、巽（☴、坎
（☵）、離（☲）、艮（☶）、兌（☱）。古人認
為「八卦」象徵著自然或社會中的一些基本事物或
現象，其基本的象徵意義分別是天、地、雷、風、
水、火、山、澤。古人借由「八卦」彼此之間的交
互演變及其象徵意義，來理解和闡發自然與社會的
運行變化及其法則。

引例：
◎古者庖犧氏之王天下也，仰則觀象於天，俯則觀
法於地，觀鳥獸之文與地之宜，近取諸身，遠取諸
物，於是始作八卦，以通神明之德，以類萬物之
情。（《周易・繫辭下》）（古時伏義氏統治天
下，仰頭觀察天上的物象，俯身觀察大地的法則，
觀察鳥獸的斑紋以及地上適宜生養之物，近處取法
於人體自身，遠處取法於萬物的形象，於是初始創
作了「八卦」，以會通事物神妙顯明的本質，以區
分歸類萬物的情態。）

卦爻辭
Hexagram Texts

附在每卦、每爻之下的文辭。「卦爻辭」來自於占筮的記錄，後來經過編者的編纂而附於六十四卦每卦、每爻之下。「卦爻辭」大體包括兩類內容，一是判定吉凶之辭，二是敘事之辭。這些文辭記錄古代社會生活多方面的情形，同時也反映古人對於天帝、神靈以及生活世界的某些認識。

引例：
◎聖人設卦觀象，繫辭焉而明吉凶，剛柔相推而生變化。（《周易‧繫辭上》）（聖人創設八卦、六十四卦的系統而觀察其卦象，將卦辭、爻辭附屬於卦爻之下而推明吉凶，剛柔相互推演而產生變化。）
◎子曰：「聖人立象以盡意，設卦以盡情偽，繫辭焉以盡其言，變而通之以盡利，鼓之舞之以盡神。」（《周易‧繫辭上》）孔子說：「聖人創立卦象以窮盡其認識，設立六十四卦以窮盡萬物的實情與虛偽，附加卦爻辭以窮盡其言語，變化會通六十四卦以窮盡其利益，鼓舞萬物以窮盡卦爻變化的神妙。」）

元亨利貞
Yuanheng Lizhen

《周易‧乾卦》的卦辭。主要有兩種理解：其一，從占筮的角度來看，「元亨，利貞」是依據所得之卦來預測吉凶的斷語。「元亨」意為大通，或舉行大享的祭禮。「利貞」指利於占問，即筮得此卦為吉。其二，從義理的角度來看，「元亨利貞」被認為是乾卦的四種品德。有人將四者對應為仁、禮、義、正，又有人將其作為萬物從始生到成熟的四個階段，或指天道、聖人生養萬物的四種德行。

引例：
◎君子體仁，足以長人；嘉會，足以合禮；利物，足以和義；貞固，足以幹事。君子行此四德者，故

曰「乾，元亨利貞。」（《周易‧文言》）（君子體會仁德，足以成為人們的尊長；將美好之物匯聚，足以合於禮；使萬物得利，足以符合義；端正持守，足以成事。君子奉行這四種德行，因此稱「乾，元亨利貞」。）

◎元者萬物之始，亨者萬物之長，利者萬物之遂，貞者萬物之成。（程頤《程氏易傳》卷一）（「元」是萬物的起始，「亨」是萬物的生長，「利」是萬物的發展，「貞」是萬物的最終形成。）

象數
Emblems and Numbers

占筮所依據的形象和數字。「象」最初指龜卜中所呈現的兆紋，「數」則指占筮中蓍草推演的數字，「象數」是推斷吉凶的基本依據。在《周易》的意義體系中，「象」指卦爻符號及其所象徵的事物，「數」則指陰陽奇偶之數與蓍草演算之數。《周易》的一些解釋者主張透過「象數」去推演天地萬物的變化。

引例：

◎龜，象也；筮，數也。物生而後有象，象而後有滋，滋而後有數。（《左傳‧僖公十五年》）（龜甲上的兆紋是「象」，筮草的數字是「數」。萬物生成而後有「象」，有「象」而後物象增多，物象增多而後有「數」。）

◎參伍以變，錯綜其數。通其變，遂成天下之文；極其數，遂定天下之象。（《周易‧繫辭上》）（或三或五而發生變化，陰陽之數交錯會聚。通達卦爻的變化，於是成就天下萬物的條理；窮極卦爻的數字，於是確定天下萬物的形象。）

太極
Taiji (The Supreme Ultimate)

「太極」有三種不同的含義：其一，指世界的本原。但古人對「太極」的世界本原之義又有不同理解：或以「太極」為混沌未分的「氣」或「元氣」；或以之為世界的普遍法則，即「道」或「理」；或以之為「無」。其二，占筮術語。指奇（—）偶（--）兩畫尚未推演確定或蓍草混一未分的狀態，是卦象的根源。其三，指空間的最高極限。

引例：
◎《易》始於太極，太極分而為二，故生天地，（《易緯·乾鑿度》卷上）（《易》起始於太極，太極一分為二，因此生成了天地。）
◎總天地萬物之理，便是太極。（《朱子語類》卷九十四）（總合天地萬物的理，便是太極。）

兩儀
Two Modes

事物生成與存在的兩種儀則，是用以表現「八卦」生成過程的一個易學概念。《周易·繫辭上》言：「《易》有太極，是生兩儀，兩儀生四象，四象生八卦。」「太極」分化而形成相互匹配、對立的兩面，即是「兩儀」。就「兩儀」的具體內容而言，古人有不同的理解：其一，從宇宙生成的角度來看，「兩儀」或指天、地，或指陰、陽。其二，從占筮的角度來理解，「兩儀」指由四十九根蓍草任意劃分出的兩組，或指畫卦中分出的奇偶兩畫。

引例：
◎混元既分，即有天地，故曰「太極生兩儀」。（《周易·繫辭上》孔穎達正義）（混一的元氣既已分化，即形成了天與地，所以《周易》稱「太極生兩儀」。）
◎分陰分陽，兩儀立焉。（周敦頤《太極圖說》）（分化出了陰與陽，兩儀就確立了。）

四象
Four Images

「八卦」生成過程中由「兩儀」分化出的四種物象或特性。《周易‧繫辭上》言：「《易》有太極，是生兩儀，兩儀生四象，四象生八卦。」「兩儀」繼續分化形成相互區別而又相互關聯的四種物象或特性，就是「四象」。對於「四象」的具體內容，古人有著不同的理解：其一，從萬物生成的角度來看，「四象」或指春、夏、秋、冬四時，或指金、木、水、火四種基本元素。其二，從占筮的角度來理解，「四象」或指揲分蓍草時每組被分出的四根蓍草，或指畫卦時所確定的太陰、太陽、少陰、少陽等四種爻象。

引例：
◎大衍之數五十，其用四十有九。分而為二以象兩，掛一以象三，揲之以四以象四時。（《周易‧繫辭上》）（用來廣泛推演變化的數是五十，使用的有四十九根蓍草。將這些蓍草分為兩份，以象徵「兩儀」。從其中一份抽出一根蓍草，以象徵天、地、人「三才」。其餘蓍草則每四根為一組劃分，以象徵「四時」。）
◎「兩儀生四象」者，謂金木水火，稟天地而有，故云「兩儀生四象」。（《周易‧繫辭上》孔穎達正義）（所謂「兩儀生四象」，是指金木水火四種基本元素，稟受於天地而存有，所以說「兩儀生四象」。）

易簡
Ease and Simplicity

平易而簡約。出於《周易‧繫辭上》。《繫辭》認為，「乾」、「坤」所代表的天地之道平易而簡約，因此可以包容萬物，又易為人所認識和遵從。後人或以「易簡」之道作為對執政者的要求，強調政令應平易、簡約，避免對百姓的過度干預。也有學者從修養工夫的角度，強調以「易簡」工夫發現、體認自己的本心，確立內在的道德意識。

引例：

◎乾以易知，坤以簡能。易則易知，簡則易從。易知則有親，易從則有功。有親則可久，有功則可大。可久則賢人之德，可大則賢人之業。（《周易·繫辭上》）（乾道因其平易而被知曉，坤道因其簡約而發揮效用。平易則易為知曉，簡約則易於遵從。易為知曉則為人所親近，易於遵從則能成其功用。為人親近則可長久，成其功用則能弘大。可長久是賢人的美德，可弘大是賢人的事業。）

◎易簡功夫終久大，支離事業竟浮沉。（陸九淵《鵝湖和教授兄韻》）（易簡的修養工夫最終能夠長久而宏大，專注於支離瑣碎的學問最終會沉浮不定。）

生生
Perpetual Growth
And Change

生生不息的變化。出自《周易·繫辭上》。《周易》所言「生生」包含兩層含義：其一，就萬物的存在而言，「生生」指天地萬物處於永恆的生成、變化之中，陰陽的交互作用構成了「生生」的內在動力。「生生」是天地萬物的根本屬性，也是道德之善行的來源。其二，就占筮而言，「生生」指奇畫與偶畫相交錯，卦爻之象處於不斷變化之中。

引例：

◎生生之謂易。（《周易·繫辭上》）（生生不息，稱之為「易」。）

◎生生之謂易，是天之所以為道也。天只是以生為道，繼此生理者，即是善也。（《二程遺書》卷二上）（生生不息的變化，就是天道的內容。天只是以生生不息為原則，秉承此生生不息之理的，就是善。）

否極泰來

When Worse Comes to the Worst, Things Will Turn for the Better.

壞的到了盡頭或極點，就會轉而變好。「泰」和「否」是《周易》中的兩個卦名，分別表示正面和負面意義，如通與塞、順與逆、好與壞等。古人認為，萬事萬物都處在循環往復的變換過程中；在一定臨界點上，事物內部所包含的對立的兩個方面就會發生相互轉化。「否極泰來」揭示了事物發展變化的辯證法，給困境中的人帶來精神支柱和希望，使人樂觀奮發，把握時機，扭轉局面。辯證地看，它也是憂患意識的表徵。

引例：

◎乾下坤上，所以為泰也；坤下乾上，所以為否也。泰者，通也；否者，塞也；泰者，闢也；否者，闔也。一通一塞、一闔一闢，如寒暑之相推，如昏明之相代，物理之常，雖天地聖人有不能逃也。（林栗《周易經傳集解》卷六）（乾下坤上，所以是泰卦；坤下乾上，所以是否卦。泰的意思是「通」，否的意思是「塞〔不通〕」；泰的意思是「開」，否的意思是「閉」。一「通」一「塞」、一「開」一「閉」，就像冬天與夏天、黑夜與白晝的相互更替一樣，是事物很平常的現象，即便是天地和聖人也不可能逃離它的變化。）

自強不息

Strive Continuously To Strengthen Oneself

自己努力向上，強大自己，永不懈怠停息。古人認為，天體出於自身的本性而運行，剛健有力，周而復始，一往無前永不停息。君子（上位者）取法於「天」，也應發揮自己的能動性、主動性，勤勉不懈，奮發進取。這是中國人參照天體運行狀態樹立的執政理念和自身理想。它和「厚德載物」一起構成了中華民族精神的基本品格。

引例：

◎天行健，君子以自強不息。（《周易·象上》）

（天的運行剛健有力，一往無前，君子應像天一樣，奮發圖強，永不停息。）

◎自人君公卿至於庶人，不自強而功成者，天下未之有也。（《淮南子・修務訓》）（自帝王公卿到普通百姓，不奮發進取而能建立功業的，普天之下沒有這樣的事情。）

◎外有敵國，則其計先自強。自強者，人畏我，我不畏人。（《宋史・董槐傳》）（外有敵對的國家，那我們首先要謀求使自己強大。如果自己強大了，敵國就會畏懼我們，我們就不用畏懼他們。）

厚德載物
Have Ample Virtue And Carry All Things

以寬厚的德性承載天下萬物。多指以寬厚之德包容萬物或他人。古人認為，大地的形勢和特質是寬厚和順的，它承載萬物，使萬物各遂其生。君子取法於「地」，要像大地一樣，以博大寬厚的道德容納萬物和他人，包含了對自身道德修養及人與自然、社會和諧一體的追求。這是中國人參照大地山川狀貌和特質樹立的治國理政和為人處事的理念和理想。它和「自強不息」一起構成了中華民族精神的基本品格。

引例：

◎地勢坤，君子以厚德載物。（《周易・象上》）（大地的氣勢厚實和順，君子應以寬厚美德容載天下萬物。）

◎地勢之順，以地德之厚也。厚，故萬物皆載焉。君子以之法地德之厚，而民物皆在所載矣。（陳夢雷《周易淺述》卷一）（大地的形勢是和順的，因為大地具有寬厚的品德。因其寬厚，所以能承載萬物。君子效法大地的寬厚品德，百姓、萬物就都能被包容了。）

窮則變，變則通，通則久

Extreme-Change-Continuity

事物達到極限則會發生變化，發生變化則能通順，通順則能長久。出自《周易·繫辭下》，是對事物變化規律的一種認識。《繫辭》認為，事物處於不斷的變化之中，並且會在至極之時朝向對立面轉化。人應把握這一事物變化規律，在窮極之時尋找變化的契機，促成事物的改變，以實現通順而長久的發展。

引例：

◎《易》窮則變，變則通，通則久，是以「自天祐之，吉無不利」。（《周易·繫辭下》）（《易》揭示出，事物達到極限則發生變化，發生變化則能通順，通順則能長久，所以能夠「從上天降下佑助，吉祥而無所不利」。）

革故鼎新

Do Away with the Old and Set Up the New

革除舊事物，創建新事物。「革」與「鼎」是《周易》中的兩卦。在《易傳》的解釋中，革卦下卦象徵火，上卦象徵澤。火與澤因對立衝突不能維持原有的平衡狀態，必然發生變化。因此革卦意指變革某種不合的舊狀態。鼎卦下卦象徵木，上卦象徵火。以木柴投入火中，是以鼎烹飪製作新的食物。因此鼎卦象徵創造新事物。後人承《易傳》之說，將二者合在一起，代表一種主張變化的世界觀。

引例：

◎革，去故也；鼎，取新也。（《周易·雜卦》）（革卦，意味著革除舊事物；鼎卦，意味著創建新事物。）

牛氣沖天

很欣賞作者用哲學思維來看待《周易》。因為世間對《周易》的看法太膚淺且兩極。真正的《周易》講的是「道」——萬物的變化規律，以及人們從中得到的道理，最後是我們做人、為人的做事方法、準則、結果。《周易》透過老子、孔子等的深化深入到每個中國人的日常行為及生活中。這個才是真正的《周易》。有人說不科學，說古代無法適用於現代，很明顯就是不懂真正的《周易》。事物發展極大從而走向衰落最後滅亡，而滅亡後又孕育新的開始，宇宙物質包括宇宙本身也是這個發展過程。

醉入圍城

《易經》，百經之首，歸納了萬物規律，為後來的文化衍生奠定了基礎，直接影響和貫穿了整個華夏文明。只是經歷過歲月長河，很多東西難免被選擇性遺忘，導致現在生活中明明在用的《易經》精髓，人們卻不知道來自《易經》。其實看看我們的成語就知道，很多都來自《易經》，可見其地位。

無知谷的貓

《周易》以前研究過，後來就算了。和朋友探討，他認為六十四卦實際上是把自然界時間上的變化規律凝聚在數學上，一種類似DNA環的意思。我發現事實上很多文字都有陰性、陽性之分，中文沒有體現在文字結構上，卻深植文化中。

秦漢唐明

粵語中的「八卦新聞」跟《周易》八卦毫無關係，純粹源自「八婆」，即好打聽別人隱私的中老年婦女。像個「八婆」一樣去打聽別人的隱私，就是「八一下」，數詞當動詞用，最終還可延伸為形容詞來使用。只是「八婆」一詞不雅，就文雅地蛻變為「八卦」了。

小明

有個小問題，「兩儀」應該是日月而不是天地吧？因為日月更替不同所以有四季劃分，所以兩儀生四象啊。

鏈史官：《周易》的意義體系，一方面是占卜，另一方面是自然現象。將一把著草一分為二，就是太極生兩儀，從右邊一把中抽出一根，就是人。天地之間能生成人，日月沒法生成人，所以「兩儀」是天地不是日月。

志於道

佛教『般若』

佛教裡的「般若」指什麼？

金庸小說《倚天屠龍記》中，
內功深厚的一代宗師張三丰，
被剛相用少林絕技之般若掌偷襲，
打得口吐鮮血。
由此可知，
般若掌是少林武學中
一種精深的掌法。

金庸小說中的少林七十二絕技
多以佛教典故命名，
比如大慈大悲千葉手、
拈花擒拿手等。
既然這種厲害的掌法
以般若為名，
可見般若是佛教中
一種精深的思想。

般若掌！

哎喲喂！

張真人

剛相

少林武功講究循序漸進，師叔不妨從
少林長拳練起，再練羅漢拳、伏虎拳
……五十年後就可以練般若掌了！

韋小寶

澄觀法師

What？！

在佛教教義中，
般若是指一種區別於普通小聰明的大智慧，
認為如果用這種智慧來觀照現實生活，
則世間的一切煩惱都會煙消雲散。

送給你一粒藥丸，讓你的所有煩惱統統要完。

師父，我整天被煩惱包圍，太鬱悶了！

究竟什麼是「般若」呢？

般若實在太深奧了，不妨先看三個故事。

小愛提問

故事一：梁武帝與達摩

梁武帝蕭衍是著名的「菩薩皇帝」，
非常尊崇佛教，建造佛寺無數。
因為他認為，
建造佛寺能獲得很大的福德。
詩句「南朝四百八十寺，多少樓台煙雨中」，
說的就是南朝時期大建佛寺之事。

皇帝是朕的職業，
佛教是朕的信仰，
造寺是朕的喜好。

梁武帝

傳說，印度高僧菩提達摩來到時當梁朝的中土，
梁武帝予以隆重接待。
然而接下來，
兩人之間卻展開了一場千古尷談①。

並沒有功德。

朕自即位以來，
造寺、寫經、度僧不可勝數，
有沒有功德呢？

為什麼呢？

梁武帝

達摩

這都是些小case，
像影子一樣不可靠。

當然是了悟四大
皆空的佛法智慧。

如何才是可靠的真功德呢？

① 這段談話廣泛記載於禪
宗文獻中。胡適據《洛
陽伽藍記》、《高僧傳》
考證，達摩與梁武帝並沒
有見過面，但今人多有駁
正。這裡參考了《景德傳
燈錄》的版本。

達摩與梁武帝話不投機，
最終離開梁都，
前往北魏少室山面壁。

達摩為什麼認為梁武帝沒功德呢？
因為他認為，造寺、寫經、度僧只能修塵世的福德，
而福德很容易為自身所造的罪孽、業報抵消掉，
所以並非真正的功德，
只有了悟佛法、超脫輪迴才是真功德。

做皇帝
應該努力提高
自己的知識水準……

佛教認為，
對做善事所修來的福德不應該貪求，
更不應功利地為求福德才去做善事。
做善事不求回報，
才是佛家所要求的菩提心。

菩薩所做福德，
不應貪戀。

釋迦牟尼佛

為何菩薩不受福德？

須菩提

造寺、寫經、度僧，
不如面壁靜思。

故事二：惠能與神秀

根據《壇經》①記載，
神秀和惠能都是弘忍禪師的徒弟。
神秀是自幼出家、
學識淵博的老學霸；
而惠能是一個不識字的伙夫。
有一天，弘忍為了測驗
弟子們對佛法的理解，
要求他們各作一首偈子。

① 《壇經》是惠能的弟子記載整理
　　的，可能有宣揚惠能、貶抑神秀
　　之處。佛教典籍中，「惠」與
　　「慧」通，「惠能」也寫作「慧
　　能」。

身是菩提樹，
心如明鏡台。
時時勤拂拭，
勿使惹塵埃。

神不知鬼不覺。

神秀

你這首偈子的見解
只到門前，末入門內！

弘忍

弘忍禪師認為，
按照這首偈子修行，
可以達到一定境界，
但還不能夠徹悟。

惠能不識字，
聽到別人念誦神秀的偈子，
也作了一首偈子，
請人幫忙寫在牆上。
弘忍看到這首偈子後，
明白惠能已經大徹大悟，
便把衣鉢傳給他。

菩提本無樹，
明鏡亦非台。
本來無一物，
何處惹塵埃。

微笑中透露著傳授衣鉢

神秀的偈子肯定了身心的存在，
認為只有勤奮修行，
才能漸漸達到不染塵埃的清淨境界。
而惠能認為身心都是種種條件下因緣聚合的假象，
只有佛性才是唯一真實的存在，
認為明白這一點才能了悟佛法。

這是幡動！

這是風動！

既不是風動，
也不是幡動，
而是你們的
心在動。

惠能

在佛教看來，
不但客觀世界的事物都是虛幻的假象，
自己的身心、感官、情感
也都不是真實的存在。
甚至連修行本身也不應執著，
修行佛法好比到達彼岸的竹筏，
既然到達了彼岸，還要竹筏何用？

鏟史官：快看！
小愛：看你的手指嗎？
鏟史官：手指不過是指引月亮的工具，
　　　　你應該看月亮而忘記手指。

故事三：見山三階段

據《五燈會元》記載，
宋代的青原惟信禪師
對自己了悟佛法的不同階段，
有著獨到的心得。

青原惟信禪師

要想了悟佛法，
攏共分三步！

老僧三十年前
未參禪時，
見山是山，
見水是水。

到後來
接受師父教導，
修行佛法，
便見山不是山，
見水不是水。

惟信禪師的第一階段
「見山是山，見水是水」，
是普通人對現實世界的一種普通認識。
佛教認為，萬事萬物都是因緣聚合的產物，
事物會隨著因緣的變化而演變。
比如山和水就是變化的產物，
當變化繼續，滄海、桑田也會互相轉化。

第二階段
「見山不是山，見水不是水」，
是初學者陷入一種虛無的迷途中。
當初入佛門的人認識到
宇宙萬物都是因緣聚合的假象，
一切皆是無常，
便消極地認為山不是山，水不是水。

第三階段
「見山只是山，見水只是水」，
是徹悟者的一種淡定的境界。
惟信禪師經過進一步修行，
終於大徹大悟，
再度否定了先前的虛無，
不再去計較山水的真實與虛幻，
以平常心對待一切事物。

學會了放手，
也是一種解脫！

般若思想認為，
既要去除對現實名利的貪求與執著，
也要從萬事虛無的消極迷途中走出來，
用淡定從容的慧眼
看待宇宙人生的本來面目，
以更加博大的胸懷、積極的姿態
重回現實生活。

青原惟信禪師

有了平常心，便見山只是山，見水只是水。

以上三個故事中所說明的道理，
就構成了般若的大致觀點。

在佛教中，
般若（梵文：prajñā）是指一種能洞見一切事物本性、
認識萬物真相的智慧。
這種智慧不同於普通的小智慧、小聰明。
為了與世俗所說的智慧相區別，
古代譯經家沒有將它直接翻譯為「智慧」，
而是從梵文音譯過來。

漢語中有很多詞語源於佛
經翻譯，比如「瑜伽」就
是個梵文音譯詞。

音譯的好處，
是不會產生歧義。

那麼般若是如何
洞見萬物真相的呢？
在佛教看來，
一切事物、現象乃至社會的一切活動
都是依據一定的因緣條件而產生的，
是各種因緣的和合體，
都處於相續不斷的因緣關係中。
當因緣條件改變，事物便走向破滅。

有因必有果！

以一張桌子為例：

原先是一棵大樹的形態，

後來人們砍伐大樹，

便製成了桌子：

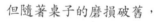
但隨著桌子的磨損破舊，

因此，在佛教看來，
無論是宇宙萬物，
還是人的思想情感，
其本性是空寂的、虛幻的。
但這種「空」並非一無所有、空空如也，
而是指事物隨著因緣而變化。

桌子最終可能會變成了
木柴、灰燼。

佛教認為，
以般若的眼光看待事物，
就既不會頑固地執著於假象，
也不會消極地沉迷於虛無，
從而坦然面對人生無常，
這樣就能破除煩惱，
到達心靈解脫的彼岸。

解脫，
是懂擦乾淚看以後，
找個新方向往前走，
這世界遼闊，
我總會實現一個夢！

小愛提問

般若既然是一種誕生於古印度的智慧，又是如何傳播到中國的呢？

這是一個漫長而複雜的過程，大體上經歷了「翻譯經論─闡發教義─開宗立派」三個階段，才最終被中華文化所吸收。

根據傳說，
釋迦牟尼在傳播佛法的生涯中，
開講般若總共有16次。
其中第9次開講的內容，
最早在**十六國後秦時期**傳入中國，
由西域高僧鳩摩羅什
翻譯為《**金剛經**》。
《金剛經》是中國最流行的
般若經典之一。

鳩摩羅什

在我之前，
佛經翻譯多是直譯。
而正是我，讓翻譯
成為一門藝術。

濃縮的都是精華。

玄奘

到了**唐代**，
玄奘前往印度求學取經，
回國後把釋迦牟尼16次
開講般若的內容全部翻譯出來，
這就是長達600卷的《**大般若經**》。
但是《大般若經》篇幅太長，
於是玄奘又翻譯了
一部260字的精華版，
亦即另一部在中國比較有名的般若經典
——《**心經**》。

西元2-3世紀，
古印度佛教學者龍樹大師
曾進一步闡釋、發展般若學說，
開創了**大乘中觀學派**。

也就是說，
要破除執著與虛無的假象，
體悟世間萬法
本性為空的道理？

大師，中觀是什麼呢？

龍樹大師

你開悟了！

可以用八個「不」來概括：
不生亦不滅，不常亦不斷；
不一亦不異，不來亦不出。

《中論》、《百論》、《十二門論》，
這三本書是我派經典。

龍樹大師的代表作《中論》，
也由鳩摩羅什翻譯為漢文。
依據這些漢譯中觀論著，
再經過鳩摩羅什的弟子僧肇的闡發，
隋代高僧吉藏大師建立了
中國佛教著名宗派——**三論宗**。
三論宗實際上是印度中觀學派的中國版，
但後來由於缺少民眾擁護，逐漸衰微。

吉藏大師

隨著般若經論不斷被翻譯，
當時不少佛教學者研究般若，
產生了許多宗派。
其中對後世影響最大的要數**禪宗**。
禪宗以般若智慧觀照現實生活，
喝著茶、聊著天就能了悟佛法。
由於禪宗中國化、生活化、接地氣，
唐代以後成為中國最流行的佛教宗派，
影響遍及世界。

經過一代代禪師的努力，
最終使來自古印度的般若智慧
融入中華文明的血脈，
並有了中國化的闡釋。
般若思想作為佛教思想的一部分，
對中國傳統文化產生了一定影響。

般若
Prajna/Wisdom

梵文prajñā的音譯（或譯為「波若」）。意為「智慧」，指能洞見一切事物本性、認識萬物真相的最高的智慧。佛教認為，「般若」是超越一切世俗認識的特殊智慧，是覺悟得道、修成佛或菩薩的所有修行方法的指南或根本。然而，這種智慧本身無形無相，不可言說，僅能依賴各種方便法門而有所領悟。

引例：
◎般若無所知，無所見。（僧肇《肇論》引《道行般若經》）（般若這種智慧不是普通的知識，也超越一切具體的見聞。）

緣起
Dependent Origination

梵文pratītyasamutpāda的意譯。「緣起」就是「依緣（一定的條件）而起（發生）」。意思是一切事物、現象乃至社會的一切活動都是因緣和合體，都處於相續不斷的因緣關係中，依一定條件而有生滅變化。「緣起」是佛教思想的起點，也是佛教各宗派所共有的理論基礎。佛教以此解釋宇宙萬物、社會乃至各種精神現象變化無常、生滅變化的內在法則。

引例：
◎物從因緣故不有，緣起故不無。（僧肇《肇論·不真空論》引《中觀》）（萬物依因緣的聚合而成，故不能說「有」；又依一定的緣而有生滅變化，故不能說「無」。）

Bosendorfer Imperial

看山不是山，看山還是山，這一典故，已經被我演化為：小時候覺得吃家裡的飯才香；年輕時，覺得吃外面的山珍海味比家裡的飯好吃；中年的時候，吃膩了外面的山珍海味，還是在家裡吃一碗稀飯香。飯菜沒有變，而內心與見識卻在變化。

無知谷的貓

我覺得，一開始，山是山，水是水；但你移情了以後，山和水將變得有意義，所以山水不再是山水；當你理解透澈了，那麼，山還是山，水還是水，那時你已經理解了其中的自然規律，明白了事情的本質。知行合一，要去做的，不要徘徊在理解上。理解生活本質後，依然熱愛生活，這才是英雄主義的態度。山更是山，水更是水。

大夢如煙

「四書五經」和《道德經》、《莊子》、《傳習錄》、《金剛經》、《壇經》這些我都通讀過。

我個人認為這些書籍反映出一個道理：人可以達到更高的層級。從現代科學的角度來看，我們身處的世界也不過是浩瀚宇宙之毫末罷了。宇宙中還有很多我們看不見摸不著但是真實存在的東西。比如電磁波、暗物質、各種輻射。再舉個貼近生活的，我們的意識。我們每個人的意識都只在自己心裡，別人無從覺察，除非我們付諸行動。這些意識往往如露如電，倏忽即逝。但那些悟性高的人，他們的意識，可以去到更高的層次。人的生命有限，但意識和精神卻可以穿越時空，達到更高境界。

所以我們要提升自己，不要過分執著於功名利祿、榮辱得失，而是要觀照內心，認識自己，這樣才能獲得心靈的自由。要知道，宇宙原本就是一個整體呀。

九州華夏

據於德

這九個州憑什麼代表中國？

當前流行的奇幻主題小說、影視劇，
通常都以一片遼闊的大陸作為故事的舞台，
例如《冰與火之歌》中的維斯特洛大陸、
《魔戒》裡的中土世界。

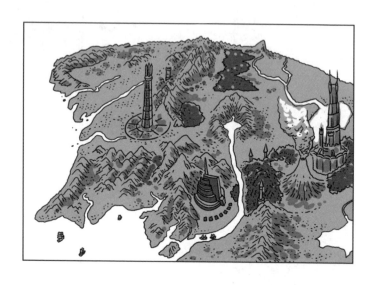

但是，
奇幻文學中的虛擬世界
一般都有現實世界的影子，
比如維斯特洛大陸實際上是
七王國時代的大不列顛島，
中土世界其實是兩次
世界大戰中的歐洲大陸。

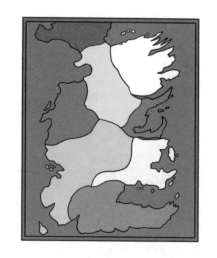

其實，
在中國上古傳說中，
也存在一個規模龐大的世界，
由九塊叫作「州」的土地組成，
統稱「**九州**」。九州的創立，
離不開上古治水英雄——**大禹**。

我愛奔波，愛遠足，
愛疏導洪水，更愛規劃九州。
我不愛回家，
我是工作狂大禹。

大禹

經過13年不懈的努力，
洪水終於退去。
目前大禹正帶領災區民眾
開展災後自救工作。

相傳，
大禹規劃九州
是與治水同時進行的，
他一邊疏導洪水，
一邊對洪水退卻後的
土地進行綜合治理。
這個故事較早記錄在
《尚書・禹貢》篇中。

洪水消退以後，
由於原有的邊界標識無法辨認，
大禹就以新規劃好的山川為邊界，
將華夏版圖
劃分為九個「州」，
並重新樹立
辨認的標誌。

九州分別是：
冀州、兗州、青州、
徐州、揚州、荊州、
豫州、梁州、雍州。
大禹給各州田地評級，
並按照當地的物產
確立貢賦的種類和額度。

大禹位於冀州，
所以其他八州的貢賦都要透過
水陸道路運輸到冀州。
《禹貢》還記錄了各州進貢的道路遠近。

九州有著不同的
地貌、物產和人民，
共同構成了
一個瑰麗的上古世界。
相傳大禹正是以這個劃分
為九塊的世界為舞台，
開啟「家天下」的夏王朝。

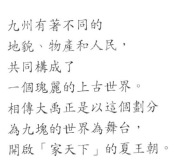

《禹貢》中所描述的真的是大禹時代的中原大地嗎？

事實上，《禹貢》九州所包含的空間，要大於傳說中的夏朝（二里頭文化）的版圖範圍。

你的地理著作為何不署自己的名，而要說成是大禹時代的古書呢？

大禹是自帶流量的大IP，用他來宣傳顯得高大上。

戰國記者

戰國學者

《尚書·禹貢》篇
並非大禹時代所作。
其寫作年代，
目前學術界的主流觀點是戰國時代。
所以《禹貢》九州實際上反映的是
戰國時人的中國地理觀。

另外，
在當時有不少典籍
都提到過「九州」的概念，
比如
《爾雅·釋地》
《呂氏春秋·有始覽》
《周禮·職方》等，
這些書中提及的「九州」跟《禹貢》大同小異。

《尚書·禹貢》	《爾雅·釋地》	《呂氏春秋·有始覽》	《周禮·職方》
冀州	冀州	冀州	冀州
兗州	兗州	兗州	兗州
青州		青州	青州
徐州	徐州	徐州	
揚州	揚州	揚州	揚州
荊州	荊州	荊州	荊州
豫州	豫州	豫州	豫州
梁州			
雍州	雝州	雍州	雍州
	幽州	幽州	幽州
	營州		
			并州

此外，
戰國末年齊國陰陽家鄒衍
還曾提出過「**大九州**」的假說。
在鄒衍看來，
各家學者紛紛言說的九州，
境界太小了，屬於坐井觀天。

陰陽家 鄒衍

儒家的九州包含在
赤縣神州之中，
只是天下八十一州之一，
這八十一州之外還有
一望無際的大瀛海。

死去元知萬事空，
但悲不見九州同。
王師北定中原日，
家祭無忘告乃翁。

詩人 陸游

由此可見，
「九州」是戰國時代的通識概念，
大概反映了當時
中華先民棲息生養的地理範圍，
但是並未在現實中
作為明確制度出現過。
不過，
後世人們約定俗成地用
「九州」指代中國。

其實，
戰國之前的典籍中
也出現過「九州」，
但與戰國九州並非同一個地理概念，
那時的「九州」只涵蓋現在的
陝西、河南、山西三省交界處，
這裡正好是夏朝的發祥地。

「州」在《爾雅》和
《說文解字》中的原義：
「水中可居曰州。」
其實就是**水中的孤島高地**。
而「**九**」的原義
可能是形容一種彎曲的狀態，
後用來虛指**多數、多次**。

「州」字演變　　「九」字演變

你能不能
別再圍堵洪水了，
如果九州都被淹了，
那就徹底完蛋了。

鯀

舜

所以，
九州最早的意義
可能是指上古時期
豫西、晉南、陝東諸高地。
當洪水來臨，
這些高地就成為冒出水面的群島，
是華夏祖先們躲避洪水的地方。

因此大禹治水的範圍，
可能只限於豫西一帶。
或許是第四紀冰川融化
造成黃河暴漲，
而大禹帶領大家把洪水
透過三門峽疏導出去，
使人們不再被洪水圍困。

黃河九曲，
終歸大海。

戰國學者為何要重
拾大禹時代的地理
名詞，建構「九州」
學說呢？

為的是傳達一個非常
超前的政治理念。

這年頭，兵強馬壯
就是扛霸子！

鄭莊公

當時現實地理中的「國」，
是周朝的一個個分封單位。
但是隨著周室王權衰微，
周天子僅僅是象徵性的天下共主，
而「國」就逐漸演變為**相當獨立的政權實體**。

而「九州」是由中央劃定的行政區域，
各州長官也是由中央直接委派的官員，
各州之間能夠和睦相處。
這體現了戰國學者對天下太平的渴望。

理想中的九州

九州百姓和睦相處，
共唱一首歌，
都服從中央的領導。

現實中的戰國

諸侯國之間互相傷害，
兵荒馬亂，生靈塗炭，
永無寧日。

由此我們可以得知，
「九州」概念蘊含著戰國學者
對天下秩序的想像與規劃，
這一規劃完全不同於西周分封制。

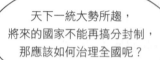

當戰國的硝煙散盡，秦漢帝國應運而生，
「九州」的現實意義就得以彰顯。
西元前106年，
漢武帝在郡縣制的基礎上，
設立了13個監察區，
其中11個以「州」為名。

西漢的州與戰國九州，
在名稱和地理位置上頗為相似。
州到東漢以後，
逐漸演變為行政區。
「州」作為行政區劃單位，
也為後世多個朝代沿用。

相傳，
大禹曾命令州牧
貢獻「吉金」（青銅），
以鑄造象徵九州的九鼎①。
並且在上面刻下
九州的風物和各種怪獸，
以具震懾的作用。

> 洪水治理完了，
> 輪到咱家坐天下了，
> 我死以後傳給你，
> 你再傳給子孫後代。

> 老爹，
> 那你可別讓我
> 等太久啊。

禹　　啟

① 另有學者認為九鼎其
　實是一個鼎，「九」
　是鼎的名稱。

> 上天啊，今年的豐收果實
> 我們不敢獨享，如果你聞到了
> 鼎中烹煮的食物香味，
> 來年就賜我們風調雨順吧。

祭司

在上古時期，
祭祀是國家的頭等大事，
而九鼎是用來祭祀的禮器，
同時又象徵著天下九州的統一，
於是九鼎也就成為國家政權的象徵。

夏亡以後，九鼎傳給商，
商亡以後傳給周。
周公旦營建洛邑（今洛陽），
將九鼎安放在太廟之中，
昭告天下，表示王命在此。
搬鼎和營建新都的工作，
稱為「定鼎」。

洛邑居天下之中，
方便四方朝貢。
鼎之所在，
就是王命所居。

周成王

周公

當周室王權衰微之後，
總有一些「不法分子」
去打聽跟天子九鼎有關的事情，
歷史上最著名的就是**楚莊王**問鼎了，
並由此而衍生出一個成語：

問鼎中原。

天子九鼎，
到底有多大、
有多重？

承受天命在於有德，
而不在於有鼎。周德雖衰，
天命未改，所以九鼎的輕重，
是不可以詢問的。

大王真是厲害，
以前用手舉鼎，
現在用頭……

秦武王

大力士孟賁

除了楚莊王之外，
還有一個諸侯曾冒冒失失
去招惹過九鼎——
秦武王嬴蕩。
西元前307年，
秦武王在洛邑以手舉鼎，
最終絕臏而死，
這就是著名的**秦武王舉鼎**。

秦滅周以後，九鼎不知下落。
在疑古派看來，大禹是否鑄造過九鼎、
九鼎是否真正存在過，
都很值得懷疑。
但不可否認的是，
九鼎與九州一統、
國家政權之間有著象徵關係。

據我考證，大禹不過是一條蟲。

這位鳥頭先生①，請你不要胡說八道。

疑古派顧頡剛

魯迅

① 魯迅在《故事新編·理水》中塑造的鳥頭先生，可能是影射顧頡剛，因為「顧」字中的「隹」指鳥，「頁」原義是頭。

儘管九州
並未作為明確制度
在現實中出現過，
九鼎的真實性也受到質疑，
但是對後世影響都頗為深遠。
「州」和「鼎」已經融入
中國人的日常用語當中，
九州中一些州名甚至沿用至今。

九州
Regions

中國的別稱。《尚書·禹貢》中將中國劃分為九州，分別是冀州、兗州、青州、徐州、揚州、荊州、豫州、梁州、雍州。同時代或稍後的典籍《周禮》、《爾雅》、《呂氏春秋》等有關「九州」的說法大同小異。「九州」作為行政區域在歷史上並未真正實行過，但它反映了春秋末期以來中華先民棲息生活的大致地理範圍。

引例：
◎九州生氣恃風雷，萬馬齊喑究可哀。我勸天公重抖擻，不拘一格降人才。（龔自珍《己亥雜詩》其一百二十五）（九州生機勃勃靠的是風雷激蕩，萬馬齊喑的局面實在令人悲哀。我奉勸上蒼定要重振精神，打破一切清規戒律降生更多人才。）
◎吾恐中國之禍，不在四海之外，而在九州之內矣。（張之洞《勸學篇·序》）（我恐怕中國的禍患，不在中國之外，而在中國之內。）

鼎
Vessel

古代用於烹煮食物的器物，也是重要的禮器。相傳夏禹鑄九鼎，象徵九州，成為夏、商、周三代傳國的重要器物，被視作王位合法性、權威性的物證。鼎多以青銅鑄成，一般兩耳三足或四足。三足喻「三公」（古代中央掌管全國行政、司法、軍事最高權力的三個官職），四足喻「四輔」（古代天子身邊的四個輔佐）。秦代以後，鼎作為實物逐漸失去王權象徵意義，但「鼎」字仍被用於指王位、帝業或國家政權，也被賦予「顯赫」、「盛大」、「尊貴」等義。

引例：
◎鼎者，宗廟之寶器也。（《漢書·五行志中之上》）（鼎是宗廟中象徵王位的祭器。）
◎論逆臣則呼為問鼎。（劉知幾《史通·敘事》）（論及逆臣，就稱之為「問鼎」。）

華夏
The Han People

古代居住於中原地區的漢民族先民的自稱。最早稱「華」、「諸華」或「夏」、「諸夏」。「華夏」實際表達的是以漢民族為主體的中原先民對其共同的生活、語言、文化特徵的一種認同和傳承。秦建立以華夏為主體的統一多民族國家以後，華夏才成為比較穩定的族群。自漢代以後，華夏又有了「漢」這一名稱與之並用。後來華夏進一步引申為指中國或漢族。

引例：
◎夏，大也。中國有禮義之大，故稱夏；有服章之美，謂之華。華夏一也。（《左傳·定公十年》孔穎達正義）（夏的含義是「大」。華夏族的禮儀宏富偉大，所以稱為「夏」；華夏族的衣服華美出眾，所以稱為「華」。「華」與「夏」是同一個意思。）

徹夜火　　　　我認為夏朝是存在的，五帝九成是後人附會的。出土帶有甲骨文的明器大多是盤庚以後的東西，一套這麼完善的自源文字不可能是憑空來的，也不可能僅是在盤庚以前三百多年的商朝創造的。楔形文字經過七八百年的演化才發展成和甲骨文完善度差不多的文字。創造自源文字要有高度發達的文明，高度發達的文明必然需要一個穩定的政權。盤庚的年代往前數七、八百年正好是夏朝的年代範圍。可能當時的夏人並不是以夏為自稱，就像周朝以及後人大多稱商朝為殷朝，而出土文物的銘文表明商人稱自己的國家為大邑商一樣。

> 鏟史官：很有道理，甲骨文是比較發達的文字系統，肯定不是中國最早的文字。

Bimobil　　　能否解釋一下，為何「州」以前那麼大的一塊地方，現在都只有一個城市那麼大而已？

> 鏟史官：以荊州為例，荊州雖然以前面積很大，但是治所在江陵，後來以荊州來指稱江陵，於是原指很大一塊地方，就變成了一座城市的地名。

日月同璐　　　所以我一直很疑惑，總聽說三國時期東吳佔據江東六郡八十一州，這怎麼這麼多州。

> 鏟史官：八十一州是演義的說法，當時東吳佔據了揚州地界，下轄六個郡，郡下面是縣。明清時代，州基本上相當於今天的縣級市。

任衍斌　　　　有個疑問：有那麼多學者懷疑是否有「九鼎」，那麼河南安陽出土司母戊大方鼎又作何解釋？這些人看不到嗎？所以是不是有可能周王朝仿制商鼎，

而由於秦武王被鼎壓死，所以秦始皇在「席捲天下」、「併吞八荒」、「吞二周而亡諸侯」之後，「收天下之兵，聚之咸陽，銷鋒鏑，鑄以為金人十二」的同時，把「九鼎」一起熔化，而為秦武王報仇了呢？另外秦武王被壓死的那張圖裡，旁邊的應該是「孟賁」比較好。因為有「《帝王世紀》把孟賁和孟說混為一人」之說，而且孟賁更有名。

> 鏟史官：好提議。傳說九鼎在搬運的過程中沉到水裡了，被秦朝熔掉也極有可能。

江山風雨情

先說句題外話，每周五早上掐著時間刷鏟史官，這可是定例，不刷一下，不看完鏟史官，怎麼都不舒服。說回今天的文章，楚莊王問九鼎之事，他或許真的是想坐坐那個位置，但是只怕他坐不住，大老闆沒倒，哪怕只是個名字，也輪不到他過那癮。不過以楚國「我蠻夷也」的性格以及那個時代，十有八九是拳頭大的說了算。就如後世日本戰國的室町幕府的那些將軍，純招牌一樣的存在，要打仗了，將軍、大名什麼的全出來了，不打了，哪邊涼快哪邊去，別擋著路！

另外，後世王朝中的瓜、沙、肅、涼大概是九州中的哪一部分？

> 鏟史官：瓜、沙、肅、涼都位於河西走廊，西漢時才納入華夏版圖，而九州概念是戰國時代的產物，所以這些地方位於當時的九州之外。

李

我認為九州應源於九鼎，因天子九鼎，周以九鼎祀先王，鼎上各有山川鳥獸，代表各地，做天下共朝的意思，然後呢就演化成九州代表天下。

登峰造極　　　　　　九州、赤縣、神州、華夏，是一個地方嗎？

> 鏈史官：九州是華夏的代稱，鄒衍認為儒家的九州概念只是自己的大九州中的八十一分之一——赤縣神州。

Bimobil　　　　　　我覺得九鼎是由東周王室學者編造出來的說法，以現在發掘的最早的青銅器群二里頭青銅器來看，大禹時不可能造出史書中記載的那麼大的鼎，且還有山川圖案。

> 鏈史官：有道理。九鼎傳說的成分比較大。

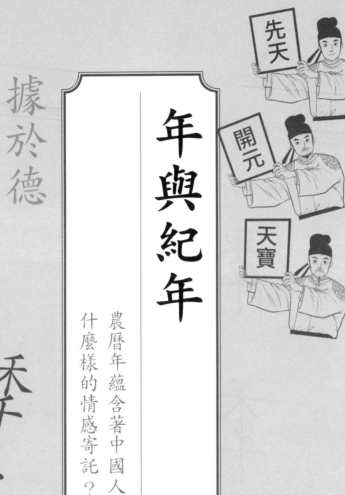

年與紀年

農曆年蘊含著中國人什麼樣的情感寄託？

據於德

先天

開元

天寶

我們首先來看一看「年」字的本義，
《說文解字》解釋為：

「穀孰也，從禾千聲。」

也就是說，
「年」字是一個形聲字，
上面的「禾」字表意，
下面的「千」字是聲符，
合起來表示穀物成熟。

喵！
（鼠年大吉，
每天都有小魚乾！）

小愛也祝大家新年快樂！
說起過年，
鑴史官你知道啥是年嗎？

但是，
越來越多的文字學家認為，
《說文解字》對「年」字字形的解釋有誤，
專家們透過對甲骨文、金文字形進行分析，
認為「年」是一個會意字，
上面是禾穗，下面是一個人。
人背著禾穗，表示穀物成熟、豐收。

各位朋友新年好！
祝大家新春愉快，
闔家團圓。

甲骨文

西周「士上卣」金文

嗨！
那咱就趁著過年，
好好鏟一鏟。

喵！（瑞雪兆豐年！）

無論如何解釋
「年」字的造字本義，
最早是指穀物成熟，
這是毫無爭議的。
在現代漢語中，
「年」字的原始含義
仍然在使用，
如「**年成**」、「**年豐**」等等。

岐山

周人

七月煮豆，
八月打棗，
十月收稻，
冬天釀酒新春喝，
美味又長壽。

「年」字又從穀物成熟，
引申為農作物從播種、發芽
到成熟、收割的週期。
先秦時期，
中原地區種植的莊稼
以粟米、小麥、大豆為主，
都是一年一熟。
比如《詩經·豳風·七月》中，
詳細描述先民一年的勞動生活。

周朝以前計算年的曆法時間單位，叫作「**歲**」。

古人把木星叫作歲星，

歲星大約每12年繞天一周，

而歲星每運行軌道的1/12，就是1歲。

後來先民發現，

農作成熟的週期大約相當於1歲，

於是「年」和「歲」意義逐漸混同。

古代中國以農耕立國，
古人很早就透過觀測天象
來掌握節氣，指導農事，
因此掌握了豐富的天文知識。
久而久之，
「年」從模糊的穀物成熟週期
成為一個精確的曆法時間單位。

夏商周三代以上，
人人皆知天文，
而現在的讀書人
卻茫然不知。

老師，
這是為什麼呢？

學生

顧炎武

因為古人沒有鐘錶，
農耕、作息全靠日月星辰。

月球

商朝農民甲
商朝農民乙
商朝巫史

大家不要急，
今年多加一個月
就好了。

中國農曆

以月相盈虧週期為一個月。
其中大月30天，小月29天，
每年12個月，
全年總共354或355天。
這樣一來，
就比地球公轉週期365.24天少了約10天。
也就是說，
每累計3年就差了一個月左右。

為了彌補這一差距，
古人想到了設置閏月的辦法，
就是每隔幾年多設置一個月。
最開始是每三年閏一個月，
但仍不夠彌補差距，
後來改為每五年閏兩個月，
又太多了一些。
到春秋中葉，
基本上確立了十九年七閏的規則。
閏年共有383-385天。

給您燒香了

① 世界上的曆法可分為兩大類型：
　根據地球公轉週期制定的曆法為陽曆；
　根據月相盈虧週期制定的曆法為陰曆。
　而中國古代的農曆則同時參考了兩者，
　屬於陰陽合曆。

再來看一看古人紀年的方式。

古人信天命，
習慣用天文星象來紀年。
上文提到的歲星紀年，
就是最早的星象紀年法。

由於歲星是逆時針繞行天空的，
與古人的觀測星象的習慣相悖，
所以又發明了太歲紀年，
與歲星紀年正好相反。
太歲紀年發展到西漢時，
名稱十分繁瑣，
也就逐漸罕用了。

① 「攝提」就是指太歲紀年法中的寅年。

傳統的天干地支紀年大約誕生於西漢，
到**東漢**就取代了繁瑣的太歲紀年，
也就是用**十天干、十二地支**依次相配，
用來紀年。

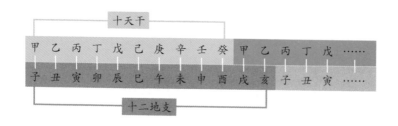

比方說，

以甲子年為第1年，

乙丑年為第2年……

以此類推，

到癸亥年結束，共60年。

甲子	乙丑	丙寅	丁卯	戊辰	己巳	庚午	辛未	壬申	癸酉
甲戌	乙亥	丙子	丁丑	戊寅	己卯	庚辰	辛巳	壬午	癸未
甲申	乙酉	丙戌	丁亥	戊子	己丑	庚寅	辛卯	壬辰	癸巳
甲午	乙未	丙申	丁酉	戊戌	己亥	庚子	辛丑	壬寅	癸卯
甲辰	乙巳	丙午	丁未	戊申	己酉	庚戌	辛亥	壬子	癸丑
甲寅	乙卯	丙辰	丁巳	戊午	己未	庚申	辛酉	壬戌	癸亥

吾乃寅年寅時出生的虎寶寶，
此合戰必使吾虎虎生威！

……

古人不但以天干地支來紀年，

還用來紀月、紀日、紀時。[1]

所以**一個人出生的**

年、月、日、時，

干支名稱正好八個字，

即所謂的**生辰八字**。

民間常用來預測人的命運。

干支的時間體系，

對漢字文化圈影響很大。

① 干支最早是用於紀日，甲骨文中就已有了，後來才用於紀年，最後用於紀月。

小早川秀秋

德川家康

日本慶長五年九月十五日

關原地區

西軍・豐臣軍

火繩槍

注：日本戰國時代，小早川秀秋原為西軍豐臣秀吉的養子，卻於關原之戰時倒戈東軍的德川家康。

中國人把干支紀年一週期稱為「**一甲子**」，
由此形成了**60年一週期**的紀年循環。
在中國近代史上，有許多大事，
都是用當年的干支來命名的，
比如
1898年戊戌變法、
1911年辛亥革命。

辛亥年走向共和，
可喜可賀！

我也想回家，
跟家人團聚……

獸首・龍首

後來，
人們又用十二種動物
來對應十二地支，
十二生肖便由此形成。
一個人出生的那一年是什麼**生肖**，
這一生肖就是其屬相。
流散海外的圓明園十二獸首，
正來源於十二生肖，
近年來，
有七尊獸首陸續回歸中國。

另外，
中國還有一種**帝王紀年**，
比用星象紀年還要早，
就是按照帝王、諸侯
在位的年次來紀年。

比方說，
西元前722年魯隱公開始當政，
這一年是隱公元年，
以此類推。
到隱公十一年，
魯隱公被他弟弟魯桓公謀害、取代，
於是隔年就是桓公元年。

讓你哥哥魯隱公真正隱身，
讓明年魯國紀年重新開始。

好計策！

奸臣‧羽父

魯桓公

陛下！
天降祥瑞啊。
一株禾苗長了三根穗子！

哦囉！
此乃祥瑞之嘉禾啊。

祥瑞列表

嘉瑞
大瑞：麒麟
上瑞：景星、慶雲
中瑞：蒼烏、白狼、白鹿等
下瑞：嘉禾、芝草、木連理等
上瑞：白狼、
中瑞：蒼烏、
鳳凰、
瑞雪、

這預示著本王再次受命於天，
得先吃頓好的！
明年的紀年要從元年算起。

但是也有一種特殊情況：
某些帝王認為，
　本年有重大瑞兆問世，
　預示著自己將
　重新獲得上天受命，
　便宣布隔年的紀年
重新從元年算起。
這種不經過君位更替，
卻重新紀年的情況，
叫作「**改元**」。

舉個例子，
西漢文帝十六年（西元前164年），
有一個叫新垣平的江湖騙子，
揣摩漢文帝希望長壽的心理，
事先告訴文帝：
「有寶玉之氣來到天子宮闕下。」
然後派人進獻了一只玉杯，
上面刻著「人主延壽」四個字。

漢文帝果然上當了，
認為這是重大祥瑞，
便宣布隔年不再是十七年，
重新從元年算起，
意思是自己將獲得新生。

皇帝一張嘴　下面跑斷腿

不久，
新垣平的騙術穿幫，
被夷滅三族。

152

但是改元之事一經宣布便無法收回。
史學家為了不使紀年混淆，
把改元後的紀年稱為文帝後元某年。

玉杯←

全都是心機啊！

這是麒麟？

恭喜陛下，
喜獲麒麟！

掉了一隻角的雄性梅花鹿↑

西元前122年10月，
漢武帝獵獲了一頭獨角的野獸，
被認為是麒麟。
在古代，
認為獵獲麒麟是
值得紀念的重大祥瑞，
群臣認為應該設立一個年號來紀年，
這一年就叫作元狩元年。
這就是**年號紀年**的開始。①

① 漢武帝元狩前的年號建元、元光和元
  朔，都是後來追記的。學術界對於年
  號紀年是否始於元狩，還有爭議，但
  年號始於漢武帝，是普遍共識。

歷史上，
有些皇帝改年號很頻繁，
有些皇帝則始終用一個年號①。
一般來講，喜歡用祥瑞迷信
來強調自己統治合法性的皇帝，
年號改得比較頻繁，
比如武則天，
在位14年多，用了13個年號。

① 歷史上也有個別皇帝即位之
　後，沒有改元，而是襲用前一
　位皇帝的年號。

做人難，
做女人更難，
做女皇帝難上加難，
年號換得勤，
才能服眾啊。

武則天

由於皇帝能力的高低
直接關係到國家的治亂，
所以歷史上一些治世、亂世
常用年號來命名，
比如**永嘉之亂**、**貞觀之治**。

舉個例子，
唐玄宗李隆基在位44年多，
用了三個年號：
「先天」用了1年多、
「開元」用了29年、
「天寶」用了14年半。

先天

青年唐玄宗

154

憶昔開元全盛日，
小邑猶藏萬家室。

唐・杜甫

唐玄宗登基之初，
挫敗了他姑姑太平公主的政變，
掌握了軍政實權，
於是改元「開元」。

開元年間，
唐玄宗勵精圖治，任用賢能，
開創了盛世局面，
史稱**「開元盛世」**。

後來因發現了老子的靈符，
於是改元「天寶」。
天寶年間，
唐玄宗怠於政務，沉溺享樂，
釀成統治危機，
引發了安史之亂。
史稱**「天寶危機」**。

中年唐玄宗

老年唐玄宗

到明清兩代，

確立了一個皇帝

基本上用**一個年號**的慣例，

於是年號又成了皇帝的別稱，

比如明世宗嘉靖帝、清聖祖康熙帝。

年號甚至還影響了

東亞其他國家的紀年方式，

比如一直保持君主制的日本，

至今使用年號紀年。

西元2019年即位的德仁天皇，

改年號為「令和」。

「康熙」的意思，
就是萬民安康和樂。

現在共和政體業已成立，
自應改用陽曆，以示大同！

「年」除了作為一個時間單位以外，

還有另一層含義，

那就是過年，

也即春節。

在古代，

農曆新年一般稱為**元日、元旦或歲首**。

西元1912年，

民國使用西曆[1]，

元旦成了西曆歲首，

於是就用春節來指稱農曆新年。

共和了，
就應該
與國際接軌。

孫中山

[1] 中華民國採用西曆的同時，也採取民國
紀年的方式，以西元1912年為民國元
年。民國紀年是中西會通的產物。

近代以來，西方文化進入中國，
造成了今天農曆、西曆的雙曆法結構。
民國時山西太原仕紳劉大鵬每逢新年
都要在日記中指責使用陽曆的人為「叛逆」。

叛逆逼民遵行新曆，
而民皆置若罔聞，仍行舊曆，
而以今日為元旦，民情不順逆，
亦可概見。

劉大鵬

而到了現在，
聖誕節在亞洲演變成
約會和購物的節日。

而上海租界裡的買辦，
則會隆重地過聖誕節和元旦。
新舊兩派之所以選擇
不同時間體系，
是因為他們的生活世界和
意義世界迥異。

狹義上的春節一般指農曆歲首——
新年正月的初一日。

然而在歷史上，
歲首卻並非總是同一天。
先秦時期，
夏曆以其正月為歲首，
而殷曆歲首要早一個月，
周曆歲首要早兩個月。

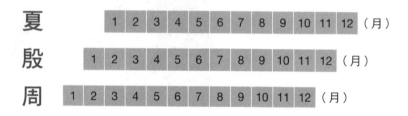

夏　| 1 | 2 | 3 | 4 | 5 | 6 | 7 | 8 | 9 | 10 | 11 | 12 |（月）

殷　| 1 | 2 | 3 | 4 | 5 | 6 | 7 | 8 | 9 | 10 | 11 | 12 |（月）

周　| 1 | 2 | 3 | 4 | 5 | 6 | 7 | 8 | 9 | 10 | 11 | 12 |（月）

到秦朝，
歲首甚至比周曆還早一個月。
漢武帝頒布《太初曆》以後，
歲首又改回和夏曆一樣，
此後大部分時間都固定在這一天。

而廣義的春節，
一般是指農曆臘月的
二十三或二十四日（小年），
到新年正月十五日（元宵節）這一段時間。
期間有三個重要的時間節點，

除夕、大年初一、元宵節。

今日又除夕，
君能為我來。
燭光紅照席，
酒浪綠搖杯。
臘帶愁吟去，
春隨笑臉回。
相看俱健在，
莫管幾華催。

注：此詩為宋·真山民所作《除夜約
張梅境飲》。

除夕 有除舊布新的意思，
魏晉時人周處的《風土記》記載：
「至除夕，達旦不眠，謂之守歲。」
那時就有了**守歲**的習俗。
除夕守歲既是守護舊歲、迎接新年，
也標誌著冬去春來。

今歲今宵盡，
明年明日催。

寒隨一夜去，
春逐五更來。

呵呵，兄台，
乾了這杯！

乾！
新年快樂！

好睏～

唐代·眾人除夕守歲

年終獎金沒多少，
全拿來發壓歲錢了⋯⋯
這又要給了⋯⋯

孩子簡直
就是紅包收集器，
賺飽了！

站了半天
腿都麻了，
你倒是給我
壓歲錢啊！

北宋·東京街頭

大年初一

是春節的正日子，
王安石的《元日》
如此描寫北宋新年：
「爆竹聲中一歲除，
春風送暖入屠蘇。
千門萬戶曈曈日，
總把新桃換舊符。」
古時有**飲屠蘇酒、拜年、給壓歲錢、
貼春聯、換舊符**等習俗。

元宵節又稱上元佳節，
是一年中第一個月圓夜，
古有**賞月**、**觀燈**的習俗。
辛棄疾的《青玉案·元夕》中
生動描述了南宋都市
元宵觀燈的熱鬧景象。

眾裡尋他千百度。
驀然回首，
那人卻在，
燈火闌珊處。

春節是中華民族
最重要的傳統節日，
其核心意義在於**回家團圓**。
對於古人來講，春節團圓，
既包括與家人的團圓，
也包括與祖先的團圓。

儘管千百年過去了，
春節團圓的主題仍沒有改變。

對今人來說，
過年期間這一張小小的車票，
飽含著對家人和故鄉的眷戀。

年
Lunar Year / Year

在文字學意義上，「年」的本義指莊稼成熟，即年成。因莊稼大都一歲一熟，「年」漸等同於「歲」，成為曆法上的時間單位（一年），後又引申指年節（春節）。在曆法意義上，它是指中國傳統農曆（陰陽合曆）的一個時間週期，平年12個月，大月30天，小月29天，全年354或355天；閏年13個月，全年383、384或385天。作為一個時間週期，它與中國古代的農業生產密切相關，反映農耕社會的時間意識和思想觀念。近代以來，西方的曆法（西曆）傳入中國，西元1912年為中華民國正式採用，形成了西曆與農曆並行的雙曆法系統，所以「年」現在既指農曆的時間週期，也指西曆的時間週期，視具體的語境而定。

引例：
◎年年歲歲花相似，歲歲年年人不同。（劉希夷《代悲白頭翁》）（每年繁花盛開十分相似，但是前來賞花的人卻不同。）

春節
Spring Festival

中華民族及全球華人最重要的傳統節日。狹義的春節指農曆新年第一個月的第一天，廣義的春節是指從農曆最後一個月的23日（祭灶）到新年第一個月的15日（元宵節）這一段時間。現代意義的春節實際上是古代一年之始與立春節氣兩者的混合。春節期間，人們會祭拜神靈和祖先，張貼春聯和年畫，置辦年貨，吃團圓飯，給壓歲錢，除夕守歲，燃放爆竹，走親訪友等等。它凝結著中華民族的倫理情感、宗教情懷、生命意識，具有深厚的歷史內涵和豐富的節俗內容。在倫理與宗教層面，除了祭祀，祈求祖先和神靈對家人的庇佑，春節更表現了中華民族對家族團圓、和睦及親情的重視；在時間與生命意識上，在辭舊迎新、驅除邪祟的同時，表達人

們對新年的祝福及對未來生活的美好期待。受中華文化影響，中國周邊一些國家和民族也有慶祝春節的習俗。

引例：
◎爆竹聲中一歲除，春風送暖入屠蘇。千門萬戶瞳瞳日，總把新桃換舊符。（王安石《元日》）（爆竹聲中，舊的一年緩緩離去；春風送來溫暖，全家人聚在一起品嘗著屠蘇美酒。太陽升起，朝霞照亮了千門萬戶；為了除舊迎新，家家爭先恐後地換上新的桃符。）

生肖
The Chinese Zodiac / Animal of the Year

也叫「屬相」。中國古人把與農業生活相關的11種動物，加上特有的文化圖騰「龍」，與十二地支配合進行紀年，每個人出生的年分都有相對應的生肖動物，即十二生肖。十二生肖與十二地支的配合與排序如下：子鼠、丑牛、寅虎、卯兔、辰龍、巳蛇、午馬、未羊、申猴、酉雞、戌狗、亥豬。十二生肖至遲在東漢已經定型，成為中國民俗文化中富有特色的內容。直到今天，一個人的本命年、婚配、命運以及在剪紙等民間藝術裡面，仍能看到生肖文化的身影。

引例：
◎昔在武川鎮生汝兄弟，大者屬鼠，次者屬兔，汝身屬蛇。（《周書·晉蕩公宇文護傳》）（過去我住在武川鎮，生下你們兄弟三人，老大屬鼠，老二屬兔，你屬蛇。）

網友熱議

開心高興的爺爺　中國古代的二十四節氣，卻暗合現代的西曆，基本上是按照太陽的運行而制定的。作為農耕時代的二十四節氣，是中國人的創舉。

> 鏟史官：在中國農曆中，月分是按照太陰曆來設置的，節氣是按照太陽曆來設置的，所以中國農曆是陰陽合曆。

文彪　1.歲首還有設在立春的。

2.農曆是陰陽合曆，以太陽曆為主，也就是以節氣為主導。

3.五日一候，三候為一節，這是概數。二十四節氣嚴格按照太陽公轉週期，夏至冬至為遠近日點，中間再定春分秋分。

4.干支紀年月日辰都是各自獨立計算的，有重複但不互相依靠。干支以六十為週期，每五年月干支重複，每五日辰干支重複。

5.改元不影響干支紀年。

6.農曆的月和干支紀月毫無關係，干支紀月按節氣計算；立春是寅月首日，每年的開端。曆法上，農曆的月分沒有多大意義的，日期才是關鍵，直接對應月相。

7.和農耕相關的是太陽曆，就是節氣，這個每年都不變；月相和海邊漁民相關，與農耕無關。

更大的春　年從禾，因為古代是在秋收後過年噠。舉個例子，陳涉大澤鄉起兵在七月，兵敗於次年十一月，看似綿延一年以上聲勢浩大的王者樣子，然而當時十月過年，也就是不到半年就GG了，根本就是個青銅等級嘛。

古代以冬至為歲末，我認為這是最最重要的節日，因晝夜長短開始回復，代表凜冬已過，大家都可放

心。僅次於冬至第二重要的節日是立春，是為歲首。至於春節，是漢武帝頒布新曆法之後才有的，一個與天文無關的人為定義的慶祝日，說實話有點不曉得究竟在慶祝神馬。

自然　　　　　播種週期，新年。

我猜測這個時間段，古代勞動人民要開始新的播種了，遂在春節喜迎新年（古代最大的事莫過於播種了）。

鏟史官：春節喜迎新年，應該是農閒時節，才有時間祭祖、慶祝，一般來說，播種在驚蟄以後。

科舉選才

據於德

狀元是如何煉成的？

主聖臣賢

主聖臣賢

隋朝以前的很長時間裡，選舉官員非常注重門第，
寒門士人要做官，難上加難。
隋朝決定廢除這種不合理的制度，
用**分科考試**的方法選拔官員，這就是科舉。
到唐代，科舉走向正規化，
這給了窮書生一個逆襲的好機會。

雖然唐代科舉一定程度上打破了士族壟斷，
甄選了一批優秀人才，
但也存在很多弊端，
比如考生請託、內定錄取成為潛規則，
考官和中榜考生容易在官場中結成朋黨。

鑑於唐代科舉的弊端，**宋太祖**規定：
皇帝舉行殿試欽點進士，
進士不得自稱考官的門生，
凡官僚子弟必須另行複試。
此後，宋太宗又進行了三大改革：**鎖院、糊名、謄錄**。

考完記得放老夫出來啊……

防止考題外洩，只能委屈考官大人了。

鎖院：考試期間把考官關起來，與外界隔離。

一點身分線索不留！

趙光義

糊名：把考生的姓名、籍貫等個人資料密封起來。

考生的考卷
主聖臣賢
主聖臣賢
謄錄的考卷

謄錄：在評卷前，派人把考卷先謄錄一遍。

經過這些改革，宋代科舉更加公正，
寒門子弟機會也更多，
比如著名的**蘇軾**、**蘇轍**兄弟，
都是透過科舉而名聞天下。
南宋末年的**文天祥**，
也是狀元出身。

為了革新文風，
歐陽修對科舉進行改革，
重策論而輕詩賦。
後來，**王安石變法**，
把進士科考試內容調整為**儒家經典**。
從**元代**開始，
規定以**朱熹的《四書章句集注》**為標準教材。
明代以後，
規定考生必須寫
高度制式化的八股文。

瞧一瞧
看一看吶，
國朝科舉官方唯一指定用書，
比《N年高考N年模擬》
還牛噢！

教科書的稿費
問題是不是應該
重視一下呢？

明清兩代是科舉的成熟階段，
逐漸形成了多級考試制度。
考生要經過層層選拔、淘汰，
才能獲得進士功名。
進士的第一名稱為**狀元**，
第二名叫作**榜眼**，
第三名就是**探花**。

知道我為何叫「小李探花」嗎？
我爹是老李探花，我哥是大李探花，
我們全家跟第三名摃上了。

假如你穿越到明朝，成為一名書生。那麼在你中狀元的路上，要面對童試、鄉試、會試、殿試四道關卡。

Round 1：童試

童試又分為縣試、府試、院試三道小關，
通過了才能進入地方學校，
取得生員資格。
明朝讀書人的初始身分是童生，
童生要想報考童試，
必須找五個人聯名擔保
（其中包括一名生員），
證明你籍貫無誤、身世清白，
未在父母喪期內。

通融一下吧，大人！　實在是家窮人醜，沒朋友……

這……　這是你找的五個擔保人？

縣試一般在<u>二月</u>舉行，由知縣主持。
府試一般在四月舉行，由知府主持。
通過了縣試、府試之後，
才能參加由各省學政主持的院試。
院試最終決定你能否成為**生員（俗稱「秀才」）**。

本文中所提日期均為農曆。

看他年紀這麼大、
衣服這麼薄，
只要文章還過得去，
就給他個機會吧。

大人，這是
晚生的卷子。

我去！這筆爛字、這手
爛文章，他要能獲得生
員資格，就活見鬼了！

童試的考試內容主要是
「**四書**」和《**孝經**》。
童試錄取率很低，在10%以下。
《儒林外史》中的周進，
60多歲了還是童生身分，
跟隨商人參觀鄉試貢院時，
一頭撞倒在號板上⋯⋯

想不到我讀一輩子書，
連進鄉試考場的資格
都沒撈到⋯⋯

周進

假如你順利通過童試，獲得生員①身分，
就有資格參加在省城舉行的鄉試。
如果被選拔進國子監，
或者花錢捐納，
還能以監生、貢生的身分參加鄉試。
周進就是在商人的幫助下，捐了個監生，
得以參加鄉試，從此飛黃騰達。

> 周相公，
> 大伙見你有兩把刷子，
> 湊錢給你捐了個監生，
> 參加鄉試去吧！

> 若得如此，
> 各位便是重生父母，
> 我周進變驢變馬，
> 也要報答！

① 生員是通過童試選拔的府、州、縣學學員。監生
是最高學府國子監的學員，一般可透過花錢捐納
或憑借父祖恩蔭獲得。貢生也是國子監學員，是
從優秀生員中選拔產生的。

鄉試一般每三年舉行一次，
如果朝廷有喜事，還會加開恩科。
鄉試一般在秋八月舉行，
初九考第一場，
十二日考第二場，
十五日考第三場。
每場前一天點名領卷進場，
後一天交卷出場。
第三場允許十五日提前交卷出場。

唉，真是
「三場辛苦磨成鬼，
兩字功名誤煞人」哪！

不過，
最後一場可以
提前交卷賞月，
也是一種享受。

你們這些生員，
簡直是斯文敗類！
你以為把參考書藏褲襠裡
就能逃過搜檢嗎？

連人家的褲襠
都要檢查，
你們又能斯文
到哪兒去？

貢院

省城舉行鄉試的地方，叫作貢院，
四面高牆環繞，戒備森嚴。
考生進場前，
必須經過嚴密的搜身檢查。
為了防止夾帶，
考生衣服必須拆縫、鞋襪必須單層、
食物必須切開，硯台不許太厚……
如果被查出舞弊，
先戴枷示眾，
再問罪發落。

考生進入貢院後，被關進一排排的考棚裡，
吃喝拉撒睡都在裡面解決。
第一場考「四書」、「五經」，考生可在「五經」中自選一經。
第二場主要考公文寫作，
以及對《大明律》的熟悉程度。
第三場考經史、時務策問。

第一題，
「四書」文：寡人有疾，
寡人好色……

嗯……
考題典出《孟子·梁惠王下》。
朱熹認為，孟子的對答是為了
遏人欲而存天理……

該死的畜生！
你中了什麼？

啪！

范進

鄉試中榜的考生稱為**舉人**，
舉人第一名為解元，
舉人初步具備了做官資格。
鄉試淘汰極為殘酷，
錄取率在4%左右。
《儒林外史》中的范進，
中舉後精神失常，
被岳丈胡屠戶搧了一耳光才清醒過來。

假如你從鄉試順利過關，接下來就要進京趕考。
舉人趕考，官府會提供食宿費用和交通工具。
在此期間，
禮部還會複查鄉試試卷，稱為「磨勘」。
會試一般在鄉試後的第二年二月舉行，
由禮部主持。

士人坐公家的馬車進京趕考，
這是從漢代就定下來的規矩，
所以舉人又稱「公車」。

所以，
並不存在書生進京趕考，
夜宿古廟，
邂逅鬼狐的豔遇？

都中舉了，
就不能正經點？

會試同樣是初九、十二日、十五日考三場，
考試內容與鄉試類似。
每場試卷收上來以後，
為了防止考官辨認筆跡，
謄錄官先要謄錄一遍。
謄錄過程中，
如果發現試卷沒有避諱，
字數未達要求，
卷面不整等違規情況，
率先淘汰一批。

這種本朝太祖的名諱
也不避諱的考卷，
分明是在減輕本官的工作量嘛！

每張試卷都這麼優秀，
淘汰誰也不合適。
我幹不了啦⋯⋯

試卷謄錄好了以後，送同考官評閱。
同考官淘汰一批劣卷，挑出優卷，寫下評語，
最後送主考官評閱。
主考官再淘汰一批，
並且把錄取的優卷進行排名，
三月十五日前放榜。

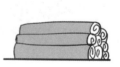

弘治十二年（西元1499年）會試，
主考官程敏政出了一道極為刁鑽的策問考題，
考生們都一籌莫展，
只有唐寅、徐經交出了滿意的答卷。
考生懷疑主考官洩題，程敏政遭到言官彈劾，
與唐寅、徐經一同被下獄。

主考官出這麼難，
這麼偏的題來刁難人，
偏偏只有兩個富商的兒子高榜得中，
一定是主考官賣題了。

既然這樣，
我們大家絕不答應！

桃花塢裡桃花庵，
桃花庵下桃花仙。
桃花仙人種桃樹，
又摘花枝換酒錢。
……

唐寅

事後，程敏政被革職，不久去世。
唐寅、徐經終生不得參加考試。
這件謎案至今沒有定論，
卻使一代才子唐寅失去了做官的機會，
埋沒於詩畫之間。

科舉選才　179

小愛提問

唐伯虎到底有沒有行賄考官,買了考題?

很可能沒有。傳聞唐伯虎很會押題,並且把他押的題告訴了徐經。

恭喜恭喜,會試過了,進士功名跑不掉啦!

哈哈,諸位也別灰心,三年後興許還有機會!

跟幾位大人還有個宴要赴,失陪~

會試的錄取率在8%左右,被錄取考生叫作**貢士**,第一名叫作**會元**。如果你被會試錄取,那就要恭喜你,終於從千軍萬馬中殺過了獨木橋,因為接下來的殿試,只排位,不淘汰。

貢生和貢士要分清楚噢。貢生是國子監學員,而貢士是通過了會試的考生。

Final Round：殿試

明朝殿試一般於三月十五日
在奉天殿（今太和殿）舉行，
由皇帝親自主持。
考生先進殿拜見皇帝，
再在殿前的丹墀露天答題，
如果碰到惡劣天氣，
就改在大殿的東西廊廡下答題。
考試內容是經史、時務策問。

這裡是令人激動的大場面：
三年一度的殿試大典。
——本台記者二狗子報導

試卷先由讀卷官分出三等，即一、二、三甲。
然後再送皇帝「欽定」前幾名，
「欽定」隨機性很大，
甚至取決於姓名是否順耳。
一甲賜進士及第，只有三名，**即狀元、榜眼、探花**；
二甲賜進士出身；
三甲賜同進士出身。
三甲都可稱「進士」。

殿試的放榜儀式叫作「**傳臚**」，
一般在華蓋殿（今中和殿）舉行。
讀卷官按照排好的次序依次拆封，
填寫黃榜，向考生公布名次。
假如你真的有幸高中狀元，
那就可以走御道從午門中門出宮。

為救李郎離家園，
誰料皇榜中狀元。
中狀元著紅袍，
帽插宮花好新鮮。①

① 出自黃梅戲《女駙馬》馮素珍的唱段。

這是個好夢啊！
首者，元也，意味著
你要三元及第。

老師，
我夢見有人提著
三顆首級交給我，
膈應得沒法……

明朝總共誕生了89位狀元，
而明朝中後期生員
數量在20萬至50萬左右，
沒有生員資格的
讀書人數量更為龐大。
中狀元的概率，
比中彩券頭獎還要小，
而能解元、會元、狀元三元及第，
整個明朝也只有
黃觀和商輅二人而已。

商輅

洪士直

在戲曲中，通常某人一中狀元，
就立即擔任八府巡按或欽差大臣，
這其實並不符合歷史。
中了狀元，一般都會進入**翰林院**，
授予「翰林院修撰」從六品官職。

翰林院修撰雖然不像
欽差大臣那般風光，
但是工作輕鬆，政治前途好，
跟皇帝關係近，
其實也蠻不錯的。

文華殿

民間所謂的「八府巡按」，
其實是隸屬於都察院的巡按御史，
並不是狀元的最好前途。
最好的前途是像我一樣，
進內閣，當首輔。

商輅

其他進士的仕途
取決於能否進入翰林院。
如果不能進翰林院，
則外放為縣官，從基層做起。
如果能進翰林院，
最好的前途是進入**內閣**，
明朝有「非翰林不入內閣」的慣例；
次一等是在六部、都察院任職。

除了第一甲三人可直接進翰林院外，
其他進士要想進翰林院，還要通過一次考試，
錄取率不超過9%。
從童生到翰林院，無數讀書人以一生為賭注，
前仆後繼參加考試。
對於其中絕大多數人來說，
「治國平天下」是一個遙遠的夢。

大丈夫生在世上，
若不能「治國平天下」，
豈非憾事。

說得好！年輕人，
來，好夢一日遊枕頭，
二兩銀子睡一次……

朝為田舍郎，
暮登天子堂。
歐耶！

科舉制的誕生，
打破了士族門閥對權力的壟斷，
為寒門士人提供了
一條躋身廟堂的上升通道，
促進了貴族政治向官僚政治的轉換，
並且擔負起教育、
文化傳承等多種功能。

但是,
科舉也造成了牢籠志士、
禁錮思想的後果。
明清時代,
大量讀書人投身於
沒有現實價值的八股制藝中,
無疑是對人才的浪費,
造成的後果之一
就是中國科技逐漸落後於西方。

萬般皆下品,唯有讀書高。
這些不過是奇技淫巧,讀聖賢書、
考科舉、中進士才是正途。

乾隆

馬戛爾尼

注： 西元1793年,英國派馬戛爾尼使團訪華,
要求與清朝通商,但遭到拒絕,使團帶來
了很多最新科技儀器、模型,但沒有引起
清廷的重視。

清末一些狀元處在中西文化的交流
中,走上了「實業救國」之路,比
如張謇在南通興辦企業,末代狀元
劉春霖投身試驗農場。

科舉考試的殘酷競爭，
還造成了很多讀書人的心態扭曲。
蒲松齡這樣描述考生：
入場提籃像乞丐，點名受呵斥像囚犯，
進入號房像秋後的冷蜂，出場後像出籠的病鳥，
盼望喜報時坐立不安像被捆住的猴子，
落榜時像中毒的蒼蠅。

科舉把讀書人
都害成了玻璃心。

我就是受害者啊，
71歲了才只是個貢生！

蒲松齡

你怎麼知道得
這麼清楚？

隨著近代西風東漸，新式學校興起，
弊端叢生的科舉顯得落伍。
面對「三千年未有之大變局」，
清政府想要改革科舉。
在有識之士的呼籲下，
西元1905年慈禧太后正式廢除了
延續千年的科舉制度。

慈禧

科舉一日不廢，
即學校一日不能大興；
士子永遠無實在之學問，
國家永遠無救時之人才；
中國永遠不能進於富強，
即永遠不能
爭衡於各國。

張之洞

張大人，
你可是癸亥恩科
第一甲探花
出身啊。

正因臣是受惠者，
才深知科舉之害，
應即行廢止。

188

早在西元1898年，
清政府就建立了**京師大學堂**，
此後各地都興辦了**新式學堂**，
科舉制廢除後，
讀書人開始進入新式學堂接受新式教育。
教育的內容和形式都發生了巨大的變化，
人才的培養和選拔更加多樣化，
「三百六十行，行行出狀元」。
新文化運動時，
魯迅在《**孔乙己**》中刻畫了
被科舉制度毒害的文人形象。

科舉

The Imperial Civil Examination System

通過分科考試選用官吏的制度。隋文帝（西元541-604年）統一中國後，廢除以門第、品級為主的選人制度。隋煬帝（西元569-618年）大業元年（西元605年）正式開科取士。歷代科舉，在考試科目、內容、錄取規則上均有變化。各科之中，以進士科最難，也最為士人所重。元明以後，考試內容以「四書」、「五經」文句命題，答題是寫一篇文章，格式為八股文，觀點需以《四書章句集注》等為依據。西元1905年光緒皇帝（西元1871-1908年）下詔廢科舉。科舉制促進了貴族政治向官僚政治的轉換，同時兼具教育、選官、考試、社會分層、文化傳承等多種功能。它是隋朝以後1300年間中國最主要的「選舉」方式，對中國社會發生的影響是極其深廣的。

引例：

◎〔宋〕太宗即位，思振淹滯，謂侍臣曰：「朕欲博求俊彥於科場中，非敢望拔十得五，止得一二，亦可為致治之具矣。」（《宋史·選舉志一》）

（宋太宗即位後，打算給那些有德有才卻久遭埋沒的人提供機會，對身邊的大臣說：「我想通過科舉考試廣求德才出眾的人，並不指望選上十個人就有五個人出眾，只要其中有一兩個出眾的，就可以把科舉考試作為實現政治清平的手段了。」）

◎科舉必由學校，而學校起家，可不由科舉。

（《明史·選舉志一》）（科舉必須經由學校，但從學校推舉上來的人才，可以不經過科舉考試。）

選舉

Select and Recommend

選拔和推舉德才兼備的人。自上而下叫作「選」，自下而上叫作「舉」。作為官吏選用制度，由國家確定人才選拔的標準，把德才出眾的人「選舉」到

政權體系中來，授以官職，治理國家，以達成理想的統治狀態。這種制度，雖因朝代和時勢變遷而不盡相同，但大都注重品德、才智及門第出身等條件，基本保障了政權體系和社會精英之間的縱向貫通。它是「人治」、「德政」理念的體現。

引例：

◎選舉之法，大略有四：曰學校，曰科目，曰薦舉，曰銓選。學校以教育之，科目以登進之，薦舉以旁招之，銓選以布列之，天下人才盡於是矣。（《明史·選舉志一》）（選舉官吏的方法，大體有四種：官學推薦，科舉錄用，舉薦產生，選才授官。官學用來培育人才，科舉用來錄取人才，舉薦作為佐助手段招攬人才，吏部選才授官，使人才遍布各處，天下的人才就全都收攬進來了。）

網友熱議

非翔 Leonardo　　從朱元璋開始，就有南北榜，已經實現考試不統一化。

> 鏈史官：如果不照顧教育落後的地方，那麼那些地方的人就會覺得沒指望。如果不限制教育發達地區，這個地方的人就容易結成朋黨。

最光陰　　如果不是科舉制，門閥制度不會被打破。科舉能推行，也跟印刷術和造紙術推廣有極大關係，門閥之所以厲害，是因為教育壟斷，所以科舉制和高考一樣，都是沒有後台沒有背景的人上升的最公平通道。科舉制造成落後跟八股文有關，畢竟唐宋朝不是八股文。

> 鏈史官：八股文主要是方便評卷，同樣的題目，同樣的文章結構，考生水平高下很容易看出來。但是除此之外毫無用處。

Bozun Jiang

萬般皆下品，唯有讀書高。封建社會知識分子最榮光的時刻就是「春風得意馬蹄疾，一日看盡長安花」。這是下至平民百姓、上至達官貴人最羨慕的場景，用錢用權都換不來。當年自己為了考上頂尖名校，也曾寒窗苦讀過，成功後的喜悅，那是工作十幾年都無法體驗到的。高考高中的感覺太美好，升學宴上親朋好友的羨慕、晚輩的敬仰，像美夢一樣。

> 鏈史官：從雁塔題名到錄取通知書，貫穿千載的喜悅。

Alex

中國人的思想禁錮從董仲舒罷黜百家、獨尊儒術開始，儒家思想成為統治者的正統思想，到朱熹和二程的程朱理學，徹底把中國人的思想定住，再到清朝閉關鎖國直接導致中國科技開始落後。程朱理學把儒家思想有弊端的一面放大並搬上統治者的檯面，禁錮思想。所以朱熹和二程，是要對我們封建後期科技的落後負相當大的責任的。

> 鏈史官：程朱本一家之言而已。小編愚見，以為更應該抨擊後世以一家為圭臬的封建統治。

任衍斌

既然鏈史官大人鏈到了八府巡按，我一直有幾個疑問：周星馳的經典喜劇電影《九品芝麻官》裡的包龍星被同治皇帝加封為八府巡按，這符不符合大清律法？一個小小的九品芝麻官能不能一下子就被皇帝特批提拔為一品的八府巡按？這是編劇的一廂情願，還是歷史上確實有個案？

三月的丘比特　　唐伯虎是真冤，但是皇帝也怕輿論啊，即使是被明朝讀書人很認同的明孝宗也怕輿論。其實當時還有另外一個才子也很冤——徐禎卿因為長得醜而與殿試前三名無緣。但是明朝的科舉還是比較嚴謹的，很多有才能的人還是能考上的。明朝還有個潛規則，就是殿試前五十名的才有機會進翰林院，從而有機會進入內閣。所以像于謙這樣有天大功勞的也沒有機會進內閣。明朝四大才子，三個都做過官，只有唐伯虎因為案子一輩子無法做官。

小馬噠噠　　不知道是因為瞭解得少還是理解有偏差，一直認為科舉就像當今的各種考試，只是一種考試制度，是檢驗人才的方法，真正出問題的是考試內容，而不是考試本身，很不明白歷史書為何要批判科舉，而不是批判制定科舉考試內容的人。

封遙　　科舉雖弊病諸多，但一朝登科就給了寒門子弟翻身機會。張居正、商輅皆由科舉中出來，最後都可以進入權力中心。由此可見寒門翻身在科舉制度面前並不是喊喊的，確實有助於更廣泛地選才。科舉中的保護公平措施也值得借鑑。

載舟覆舟

依於仁

王朝的小船為何說翻就翻？

唐貞觀十一年（西元637年），
魏徵上《諫太宗十思疏》，
非常不留情面地直陳
當時政治的弊端，
而唐太宗卻很樂意接受批評。

陛下最近放鬆了
對自己的要求，
表現得遠沒有以前好，
要善始善終才行嘛。

愛卿批評得很對，
朕知錯了。

魏徵

唐太宗

如果像你表叔楊廣那樣搞得人心背離，
那麼王朝的小船還不說翻就翻？

大隋的小舟蕩然無存

魏徵的諫章中有這樣的語句：
「怨不在大，可畏惟人。
載舟覆舟，所宜深慎。」
意思是說：
怨恨不在於大小，
可怕的只在人心背離。
水能載舟，亦能覆舟，
所以應該高度謹慎。

載舟覆舟的字面意思：
水既能承載船舶航行，
也能讓船舶說翻就翻。
但還有更深一層含義：
用水比喻百姓，用船比喻君主，
君主的安危、王朝的興衰
取決於民心向背。

民若安好，便是晴天。

你個糟老頭子壞得很。
你若活在大明，
朕要讓你嘗嘗廷杖的滋味。

叭！

孟子

朱元璋

載舟覆舟實際上是
中國古代**民本思想**的
一種巧妙的形象表達。
所謂的民本，
是指人民才是決定
政權存亡、國家興衰的根本力量。

君主如果想讓百姓載舟不覆舟，
就必須
瞭解民意，順應民心，解民困厄，重視民生。
儒家提出「載舟覆舟」的目的是
建議為政者實施仁政，
反對暴政、苛政。

衙齋臥聽蕭蕭竹，
疑是民間疾苦聲。
些小吾曹州縣吏，
一枝一葉總關情。

鄭板橋

大人聽見竹聲
都能想到民間疾苦，
真是愛民如子啊。

呃……

律師函
「載舟覆舟」
版權歸
荀子所有

魏徵

其實，
「載舟覆舟」這個比喻
並非魏徵提出來的，
最早出自《**荀子**》這部書。

198

寡人生於深宮之中，
長於婦人之手，
不知道什麼是
危險和恐懼。

魯哀公

孔子

君主好比舟，
庶人好比水，
水能載舟，亦能覆舟，
這對於君主來說
是最值得警惕的。

《荀子·哀公》篇中，
記載了孔子與魯哀公的一段對話。

《荀子·王制》篇中
也有類似的話，
並且還用了另一個比喻：

📶東周通信 4G　　09:24　　🔋71%

胖友圈

荀子

馬如果被車驚嚇，君子就不能坐穩車中；
庶人如果被政治驚擾，君主就不能穩坐江
山。馬受驚就要讓牠安靜下來，庶人受擾
就應施予恩惠。

3分鐘前　　刪除

孔子：你真是愛標註版權，載舟覆舟這個比喻明
明是我說的。
荀子回覆孔子：弟子知錯了。
孔子回覆荀子：做為長者，我必須告訴你一點人
生經驗：「載舟覆舟」蘊含的民本思想有著非常
悠久的淵源，比如《尚書·五子之歌》中提到了
「民惟邦本」。

《五子之歌》講的是這樣一個故事①：
夏啟的兒子太康耽於享樂，
被其他部落奪取了政權，
太康的五個弟弟被放逐到洛水邊，
用唱歌的方式回憶起祖父大禹的訓導，
並表示要悔改。

五子之歌圖

繪史宮

皇祖有訓，
民可近，
不可下，
民惟邦本，
本固邦寧。

這首歌的大意是：皇祖大禹有過訓導，
民眾只可以親近，不能認為他們卑微，
民眾是國家的根本，根本穩固則國家安寧。

① 北京清華大學所藏戰國竹簡《厚父》中也有類似的表述。

魏徵為什麼要在貞觀十一年用「載舟覆舟」的典故勸諫唐太宗呢？

因為經過前一階段的勵精圖治，
唐朝國內外形勢全面好轉，
民生日益富足。
此時，
唐太宗開始驕傲自滿，
加重百姓的負擔，
背離民本的施政方針。

前段時間大唐業績這麼好，
不如蓋座宮殿、搞次團康，
大家嘿皮一下！
再說老百姓嘛……
給他們找些苦活幹，
才會乖乖聽話。

萬萬不可，陛下難道忘了
「載舟覆舟」的典故了嗎？

魏徵

唐太宗

唐太宗樂意接受批評，
是因為他見證過隋末農民起義
摧枯拉朽的能量。

哈哈我這條船超快的！

下沉速度超快！

隋唐皇室也有姻親關係，
唐太宗親眼目睹
他表叔楊廣胡亂操作，
把隋朝的小船開翻。
殷鑑不遠，
他不想重蹈楊廣的覆轍，
讓唐朝的小船在自己手中傾覆。

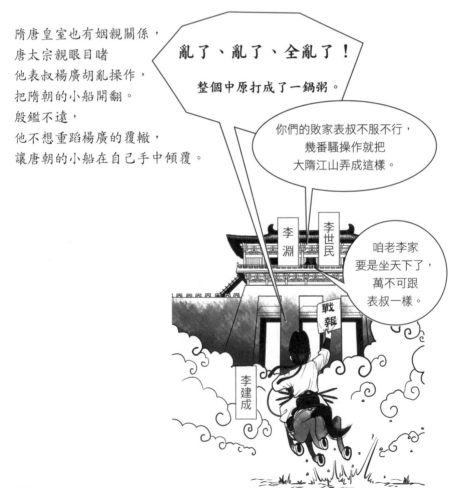

亂了、亂了、全亂了！

整個中原打成了一鍋粥。

你們的敗家表叔不服不行，
幾番騷操作就把
大隋江山弄成這樣。

李淵

李世民

咱老李家
要是坐天下了，
萬不可跟
表叔一樣。

戰報

李建成

哈哈⋯⋯啵啵！　　　　　　　　　　　　　　　啵啵！

唐太宗也經常用
「載舟覆舟」來自我警醒，
並且用來教導太子李治。
由於唐太宗君臣較妥善地處理了
與百姓的關係，
才開創了著名的「**貞觀之治**」。

兒子，
君主似船，百姓似水。
記住爹地的話，
咱大唐就能長治久安。

OK！

李治

我只聽説，
女人似水⋯⋯

武才人

李世民

隋煬帝在位期間，
做了很多大的決策，
比如開鑿大運河、開拓西域、
征討高句麗、遷都洛陽等等，
但是具體做法上很不妥當，
沒有考慮國家財力和民眾承受能力。

隋煬帝好大喜功，奢侈無度，
從而加重賦稅，濫用民力，
使農業生產遭到破壞，
導致人民疲憊，飢荒頻發。
老百姓為了逃避徭役、兵役，
甚至自斷手腳。

我自廢一隻腳，
避開了前往遼東送死的厄運。
這隻廢腳堪稱「福腳」啊。

恭喜你了！
接拐！

廢腳算啥？比慘的話……
有誰比我慘？！

小強

吓！

好頭頸，
不知將被誰砍了去？

是啊，
陛下這麼好看的脖子，
不絞個白綾可惜了。
這個差事
就交給我來吧！

隋煬帝剛愎自用，
聽不進意見，
導致官員們文過飾非，
不敢犯顏直諫，
使朝廷不能及早正視危機，
糾正錯誤，
最終引發大規模農民起義，
楊廣自己也死於兵變。

宇文化及

隋煬帝

弟兄們老家都淪陷了，
你這昏君卻一意孤行，
賴在江都不走！

那麼，怎樣才是王朝小船的正確駕船方式呢？

開創西漢文景之治的漢文帝堪稱模範船長，看看人家是怎麼開船的。

朕打算在這裡建一座露台，你核算一下造價多少？

一共百斤黃金。

工匠

當時，天下經歷了秦末的大亂，
老百姓家裡沒有隔夜糧，
國家也是一窮二白，
皇帝找不到毛色相近的馬匹駕轅，
丞相、將軍只能坐牛車上班。
所以，
西漢不得不採取無為而治、
與民休息的國策。

丞相，這速度可以嗎？

OK的。
就跟我們的帝國一樣，
小心駛得萬年船。

大漢快車

相當於十戶中產家庭的財產，
還是……

漢文帝

算了吧。

漢文帝生活非常簡樸，
在位23年，
物質享受什麼都沒增加。
統治階層生活簡樸，
杜絕貪欲，
就能實實在在
減輕百姓的經濟、力役負擔。

文景時代實行輕徭薄賦，
以便增加百姓收入，
藏富於民。
無論是田租、人頭稅，還是徭役，
都大幅度減輕。
文帝十三年（西元前167年）
甚至租稅全免。

這可能是兩千年帝制
時代的最低標準。

種類	田租	人頭稅	徭役
數額	每年收成的 1/30 至 1/15	每年40錢	每三年服役一次

漢文帝提倡寬仁慎刑，

當時有個叫**淳于意**的人獲罪被判處肉刑①，

他的小女兒**緹縈**上書為父申冤，

打動了漢文帝，

並且使文帝廢除了殘害肉體的刑罰。

① 肉刑是指切斷肢體、割裂肌膚、破壞身體機能的墨、劓、刖、宮等帶有原始、野蠻色彩的刑罰。

我父親一旦受刑致殘，
即使想改過自新，
肢體也再難復原。

緹縈

我這輩子生了五個女兒，
關鍵時刻一個頂用的都沒有，
還不如生男孩。

我願捨身為婢女，
替父贖罪，
讓他改過自新。

漢文帝

淳于意

父親！

緹縈

好感動啊，
以後就廢除
肉刑吧。

西漢北疆一直面臨**匈奴**軍事威脅，
漢文帝採用**和親**的方式緩解漢匈矛盾，
即便開戰也控制在一定規模內，
避免大規模戰爭、長期的兵役破壞民生。

匈奴又來搗亂，
不讓人消停。
全面反擊吧！

如果和親，
則匈奴幾年搗亂一次，
一兩個郡不得安穩；
如果全面開戰，
則全天下長年
不得安寧。

文臣

武將

搞個和親，
就能換來幾年和平

這筆交易
划得來。

漢文帝

哼，文皇帝比動不動
割人丁丁的當今皇上，
不知高到哪裡去了。

司馬遷

雖然西漢重農抑商，
但是文帝開放了屬於國家的山澤，
准許民間資本採礦、冶鐵、發展漁鹽產業，
並且廢除了過關出示證件的制度，
方便商品流通，
使各地湧現出一批先富起來的人。

鄙人南陽拼多多，
家裡有礦，不富不行。
這次準備把
《中華思想文化術語》
系列叢書全部包下。

西漢商人・拼多多

我乃齊國賽碼雲，
靠曬鹽為業。
這次去長安，
準備把西市的珠寶全買下來，
一次盤個夠。

西漢商人・賽碼雲

你們倆真是夠了，
要不是中央開放山海資源，
說不定都在討飯呢！

210

經過文、景兩代君主的發展，
到武帝初年，倉庫裡糧食層層積壓，
錢庫裡穿錢的繩子朽壞了，銅錢無法計數。
只要沒有水旱災害，老百姓日子過得比較富足，
能吃上精糧、肉食，田野街巷裡馬匹成群，
犯法的人也越來越少。

這才是人過的日子，
要是人人能過這種日子，
誰還去做賊？

是啊！
再這麼下去，
我要失業了。

監

獄吏

可不是嘛！
據說連監獄
都空了。

天下太平時固然可以與民休息。
在亂世又怎麼辦呢，能否做到以
民為本呢？

曹操就是一個很好
的例子。

儘管在當時與後世，
都有不少人站在漢室正統立場
指責他是竊國的奸賊；
但**實際上曹操很重視民間疾苦，
也很擅於改善民生。**

白骨露於野，千里無雞鳴
生民百遺一，念之斷人腸

曹操

曹操用**屯田**的方法，
讓治下的軍民**解決衣食問題。**
當時，
連年戰亂造成了很多無主荒地，
曹操把這些土地收歸國有，
以軍事化管理的方式，
組織軍人和流民耕種，
並收取地租。

軍民兩開花，
既解決了軍糧問題，
又讓我地盤上的
百姓越聚越多。

曹操

曹氏軍墾農場

而其他軍閥，
餓了就搶老百姓的糧食，
飽了就把糧食亂扔，
一到荒年就吃了上頓沒下頓。

老弟，我這兒斷糧了，
士兵們只能吃桑椹充飢。
借我點！

這年月，
地主家也沒有餘糧啊。
我的部隊正在撈河蚌吃呢。
我還想跟你借呢！

要是桑椹、河蚌都被吃光了，
恐怕要吃人了。

袁術

袁紹

可曹阿瞞這小子
鬼精鬼精的，
如今富得流油啊！

搞他！

東漢時期，各州豪強地主崛起，
使農民失去土地，淪為佃戶。
於是曹操頒布「**重豪強兼併之法**」，
打壓豪強地主，抑制土地兼併，
減輕地主對農民的剝削。

袁氏統治河北，
縱容豪強肆意兼併，
致使百姓破產。

如今袁氏覆滅，
朝廷從重處罰兼併土地，
租稅定額之外，
不得隨意盤剝百姓！

曹軍

總算守得雲開見月明了！

別的州都是按照
收成的比率收稅，
多收多繳，
而曹操卻按定額收稅，
只要繳完定額，
就都是自己的。

咱們都去
種曹操的地吧！

兗州 →

曹操**改革稅收制度**，
改定率徵收為**定額徵收**，
讓農民增收不增稅，
提高了農民的生產積極性，
使四方流民紛紛歸田。

214

當時，
曹操麾下的士兵、百姓因戰爭、
瘟疫而死的大有其人，
曹操多次頒布法令，
落實對死者家屬的善後安撫和救恤，
還特別注重為老弱病殘
提供生活保障，
體現了曹操對生命的尊重。

公台①，你難道不想讓
你的老母、女兒活下去嗎？

我聽説，
以孝道治天下的人，
不傷害別人雙親；
施仁政於四海的人，
不斷絕別人的後代。

公台，
你的老母我會養老送終，
你的女兒我會嫁個好人家
你就安心去吧！

陳宮

曹操

我該上路了。

① 陳宮，字公台，東漢末年謀士、大將，曾
　輔佐曹操，後投奔呂布。

曹操出身宦官集團，
並不像出身底層的
劉備那樣瞭解民間疾苦。
作為一代梟雄，
他發展農業、改善民生，
既是主動的，也是出於被動。

曹操憑藉發展農業
與改善民生的成果，
在東漢末年的驚濤駭浪中
始終保持不翻船。
即便在赤壁吃了敗仗，
也並沒有動搖
他在北方的政權根基。

後漢通訊 4G　　09:24　　71%

胖友圈

曹操
發展農業，吾士有糧；
改善民生，勝天半子！

1分鐘前　　刪除

♡ 荀彧 曹丕 曹植 司馬懿 程昱 郭嘉 賈詡

孔融：切，土得掉渣！
曹操 回覆孔融：你懂個屁！如果不發展農業，
我的軍隊就會喝西北風；如果不改善民生，百姓
就會逃往別人的地盤，根基就會不穩。這也是沒
辦法啊！

赤壁的船雖然翻了，
但我大本營的小船穩得很！

不過，
明明是我燒船自退，
卻使周郎成此大名。

這次雖然沒能踏平江東，
但中原還是丞相作主。
您拔根汗毛，
照樣比孫權、劉備的腰粗。

赤壁

曹操

程昱

雖然「載舟覆舟」的民本思想
對君主權力有一定程度的制衡作用，
但從根本上講，
是一種以尊君為前提的統治之術，
只有規勸作用，
無法對君權形成硬性的約束力。

雖然民本思想本質上只有規勸的作用，
但是臣子也不僅僅簡單地規勸，
而是有一套策略和辦法，
便於君主接受意見；
而高明的君主也會配合，
以樹立虛懷納諫的形象。

可是，
當君主不聽勸阻、一意孤行地
踐踏民意、殘害百姓時，
大規模農民起義
就會以不可阻擋之勢推動朝代更替。

柏楊先生認為，任何王朝在傳位到第二、三代的時候，都會遭遇瓶頸危機，因為人們還沒有養成效忠的習慣，一旦統治者不孚眾望，就會引發國破家亡。所以秦、隋速亡，除了統治者殘暴不仁，還有瓶頸危機的因素。

大兄弟，你也翻船了？
同是天涯淪落人哪！

有句話怎麼講來著的：
天道好輪迴，蒼天饒過誰？

話真多！要你寡！
（網路用語，「要你管」的意思）

秦二世・胡亥

隋煬帝・楊廣

載舟覆舟
Carry or Overturn The Boat/Make or Break

水既能載船航行，也能使船傾覆。「水」比喻百姓，「舟」比喻統治者。「載舟覆舟」所昭示的是民心向背的重要性：人民才是決定政權存亡、國家興衰的根本力量。這與「民惟邦本」、「順天應人」的政治思想是相通的。自古以來它對執政者有積極的警示作用，提醒他們尊重民情民意，執政為民，居安思危。

引例：
◎君者，舟也；庶人者，水也。水則載舟，水則覆舟，此之謂也。（《荀子·王制》）（君主是船，百姓是水。水既能載船航行，也能使船傾覆，說的就是這個道理。）

民惟邦本
People Are the Foundation of the State.

指民眾是國家的根本或基礎。只有百姓安居樂業、生活穩定，國家才能安定。最早見於古文《尚書》所載大禹的訓示。這與戰國時代孟子（西元前372？-前289年）提出的「民為貴，社稷次之，君為輕」，荀子（西元前313？-前238？年）提出的「水能載舟，亦能覆舟」的思想一脈相承，並由此形成儒家所推崇的「民本」思想。

引例：
◎皇祖有訓：民可近，不可下。民惟邦本，本固邦寧。（《尚書·五子之歌》）（我們的祖先大禹曾經告誡說：民眾可以親近，不能認為他們卑微。民眾是國家的根本，根本穩固了國家才能安寧。）

民心惟本

The People's Will Is
the Foundation of
the State.

民眾的意願、意志是政治的根本。出自戰國竹簡
（五）《厚父》中所記載的商王（一說即太甲）與
厚父（一說即伊尹）的一則對話，厚父對商王說：
「民心惟本，厥作惟葉。」字面意思是民心像樹的
根，而樹根決定枝葉的生長與繁茂。其深層意思則
是說民心是國家的根本，民心的向背最終決定國家
或政權的盛衰興替。古人認為，一個政權的合法性
在於「順天應人」，而「天意」以「民心」為基礎
或前提，只有順應「民心」，國家才能長治久安。
它與「民惟邦本」的思想是一致的。

引例：
◎得天下有道，得其民，斯得天下矣。得其民有
道，得其心，斯得民矣。得其心有道，所欲與之聚
之，所惡勿施爾也。（《孟子·離婁上》）（得到
天下有方法，得到百姓，就能得到天下。得到百姓
有方法，得到民心，就能得到百姓。得到民心有方
法，百姓想得到的，就替他們聚積起來；百姓所厭
惡的，就不要施加於他們身上，如此罷了。）
◎治國猶如栽樹，本根不搖，則枝葉茂榮。
（吳兢《貞觀政要·政體》）（治國就像栽樹，樹
根堅實不動，枝葉自然生長繁茂。）
◎民為邦本，未有本搖而枝葉不動者。（蘇舜欽
《詣匭疏》）（民眾是國家的根本，沒聽說有根本
搖動了而枝葉卻不搖動的情況。）

網友熱議

蹦米小瓜　　為什麼孔融不點讚曹操改善民生的政策？

> 鏟史官：因為孔融是士族，並不關心民眾有沒有
> 飯吃。曹操為了節約糧食，發布禁酒令，結果遭
> 到孔融狂噴。

成長的孩子　　然而唐太宗後期還是被打臉，沒有把虛心納諫堅持
下去。只是他前期比楊廣的基礎打得好，掉溝裡了
還能救得回來。

> 鏟史官：唐太宗征高句麗，兵力使用是經過精確
> 計算的，而不像煬帝那樣好大喜功。唐太宗的戰
> 術也是比較成功的，以較小的損失取得比較大的
> 戰果，最後撤兵，是因為天氣太冷，不適合作
> 戰，只不過沒有把高句麗徹底征服而已，並不是
> 像隋朝那樣失敗了，且敗得一塌糊塗。

黑貓米　　系統工程學有一個概念叫累積誤差。一個朝代的每一
個政策都有可能有一點副作用，但是統治集團會出於
維持大局穩定的目的忽略它或者將其控制在可以接
受的範圍內。但是多年之後多個政策的副作用就可能
導致嚴重且難以修正的問題，就是史書上所謂的「積
弊」。「積重難返」，最終會導致整個系統的崩潰。

未央主人　　從封建時代農耕社會的結構性矛盾來講，就是土地
有限。剛開國時，地多人少可以跑馬分地，到發展了
一百年左右，地主階層逐漸壯大，土地就會集中到官
僚地主手裡，而他們又不用繳稅，這樣就是國家窮
了、平民沒地，就要改革——打擊豪強地主重新丈量
土地進行二次分配，比如王安石改革、張居正改革再
到雍正的攤丁入畝都是如此。改好了就能再度興盛；
改不好，要麼是官僚造反，要麼就是底層人民起義。

| 龍帝鴉盜 | 「水」到底代表百姓還是代表貴族呢？隋朝應該說是被各貴族軍閥搞沒的吧。 |

> 鏈史官：很明顯是代表百姓。隋煬帝遷都洛陽，已經惹惱了關東貴族。隋朝真正大亂，是瓦崗軍、竇建德等起義運動，這些起義軍都不是貴族軍閥。

| 激昂 | 水能載舟，亦能覆舟。這句口號，其實歷代很多帝王都懂。只是，對封建專制政權來說，統治階級施政的本質會回到它的獨裁統治本位上。也就是說，封建統治階級都一樣，任何時候，它的行為都是為了它的長期統治而服務的，如清朝慈禧太后所言：洋夷心懷叵測，但洋夷只要錢，太平長毛鬧事，那可要的咱的命！因此寧可付錢與洋夷，求其滅長毛。然而他們卻不想太平天國正是因其壓榨而產生的。所以，封建統治階級，初始為了江山永固都輕賦稅，到了後期因為種種原因加重賦稅，從而引起民變，於是殘酷鎮壓，為了鎮壓又更加嚴酷加賦。因此，雖然很多帝王都懂舟水之變，但封建王朝卻都逃不出自取滅亡的惡性循環。 |

| Antonio.Lee | 鏈史官，又看到曹操的屯田制，為什麼總是看到一實行屯田就天下無敵的樣子？屯田制真有這麼大魅力？這麼有用為什麼還有很多人不用呢？每個朝代的屯田制有什麼不一樣嗎？ |

> 鏈史官：曹操採用屯田制有個特殊的前提，就是當時混戰產生了大量無主荒田。但是，太平年代，人口多，土地有限，軍墾制就不適用了。比較相似的，就是唐代的府兵制，但是後期因土地兼併嚴重，就被破壞了。

愛喝茶的貓　　　　　毛澤東說過，中國革命的基本問題是農民問題。我覺得這話放在古代也是對的，或者說中國古代這些改朝換代基本上都是因為農民問題沒處理好。統治者的奢靡消耗大量物力財力，政治上的腐敗導致豪強權貴大規模兼併土地，而且逃避繳稅，國家財政收入銳減，於是各種苛捐雜稅都加到農民頭上，當農民走投無路的時候，王朝的小船自然就要翻了。

依於仁

藏富於民

古人有哪些富民的好辦法？

過去40年裡，
中國已有8億多人成功脫貧。

2020年底，
絕對貧困在中國全面消除，
千百年來困擾中華民族的絕對貧困問題
歷史性地畫上了句號。
消除貧困不但是當今中國的目標，
也十分契合中國古已有之的政治經濟思想。

早在先秦時期，
思想家就已提出「藏富於民」的觀念。
在《尚書》、《周易》中，
把重視人民的利益視為統治者的德政。

所謂「藏富於民」，
就是指將社會財富貯存在民眾手中，
讓老百姓富起來。
只有民生富足，國家的統治才會穩固。

1. 確保民眾的基本生存保障，
   解決溫飽問題；
2. 改善民眾的生活品質，
   使民有餘財、衣食豐足；
3. 實現社會財富的合理流通和分配，
   縮小貧富差距；
4. 施行教化，
   促進社會文明的進步。

要實現藏富於民，
總共分三步。

要做到藏富於民，
為政者首先應當輕徭薄賦，
不與民爭利，不盤剝百姓；
第二要允許、鼓勵百姓合理致富；
第三應當保障社會文明的合理運行。

先秦時期多個思想流派都對「藏富於民」有所闡發，但由於出發點不同，觀點各有側重。

說得好！
加油！
支持！

諸子百家「藏富於民」學術研討會

道家代表・老子

我無事而民自富，一個優秀的為政者，必須hold住內心的欲望。

道家主張順應社會生產的規律，
反對統治者干涉、
損害民眾的經濟生活。
正如 **《老子》** 中提出，
為政者清淨無為，
不在農忙時節徵發百姓服徭役，
農業生產才能順利進行。

光「無為」有什麼用？
百姓無恆產者無恆心，
有房有車有地才叫富。
為百姓提供穩定的產業，
才是明君該做的事。

諸子百家「藏富於民」學術研討會

孟子

《孟子》提出了「制民之產」的觀點，
這體現了儒家的民本、仁政思想。

孟子認為：
如果百姓沒有穩定的產業收入，
無法維持自身的生存，
就會為了維持生計而背離道德。
因此為政者必須為百姓
提供必要的產業，
使其生產所得能夠滿足
日常生活的需要。

具體應該如何「制民之產」呢？
孟子認為，
只要能給予百姓足夠的土地，
讓他們在房屋周圍種植桑樹，
雞、狗、豬等家禽家畜能按時餵養，
百畝耕地按時種植、收割莊稼，
就能讓一個八口之家衣食豐足。①

假如50歲的人
能穿上絲綢、70歲的人能吃到肉，
天下就太平了！

不了，謝謝。

坐下來吃點？

孟子

① 《漢書》中說「百畝之收
不過百石」，當時農業產
量很低，百畝耕地才能養
活八口之家。

《荀子》提出了「王者富民」的觀點：
推行王道的君主會使民眾富足；
稱霸諸侯的君主會使士兵富足；
勉強能存活的國家會使大夫富足；
亡國之君則用財富塞滿自己的箱子和倉庫，
而使老百姓貧困。

所謂「王者富民」，隱含這樣的意思：
偉大的事業必須有民眾的廣泛擁護才能成功；
為此，
明智的領導者
必須把廣大民眾利益放在首位，
而不能著眼於一部分人的利益，
更不能著眼於自己的個人利益。

《管子》也對「富民」思想作了很好的闡發：

「凡治國之道，必先富民；

民富則易治也，民貧則難治也。」

善於治國的人，一定會先富民，

然後才考慮如何治理。

諸子百家「藏富於民」學術研討會

百姓富裕，就容易管理；
百姓貧窮，就難以管理。
這正是我成功
治理齊國的經驗。

齊國相國・管仲

咱們來總結一下。

道家說為政者不能干涉農業生產，
儒家說君王要為百姓提供穩定的
產業，法家說百姓富裕了才容易
管理。

喵！
（要致富還得要
靠勞動呀！）

先秦諸子還認識到國富與民富的統一性。
正如《論語》中所說：「百姓足，君孰與不足；
百姓不足，君孰與足？」
自古以來，民富是國富的基礎，
也是國家贏得民心的根本保障。

成年飢荒，財政用度不足，怎麼辦？

何不減少賦稅？

加徵賦稅還不夠用呢，怎麼能減稅呢？

孔子弟子・有若

魯哀公

百姓富足，君主您還能不足？
百姓不足，您哪來的富足？

那麼古代君主如何實現藏富於民，具體有哪些措施呢？

主要有三種辦法。

一、制民之產，耕者有其田

在農業社會，
土地是最重要的生產要素，
因此，
制民之產的根本在於確保耕者有其田。
商周時期實行的是一種土地國有制，
叫作「**井田制**」。

自春秋時代起，
土地開始私有化。
土地主要歸地主和自耕農所有。

自耕農的土地
不但是農民基本生存條件的保障，
其收成也往往是國家主要賦稅收入來源。

你幸福嗎？

農民
最幸福的事，
莫過於
種自己的田。

然而,
自耕農經濟十分脆弱,
如果遇到災荒歉收,
得不到官府賑濟,
農民為了活命,
只能把土地賤賣給地主。

於是,
地主趁機大量兼併土地。
隨著土地兼併日益嚴重,
絕大多數田地掌握在少數人手中,
佃農的收成大部分進了地主的私庫,
不但使農民的最基本生存條件失去保障,
也影響國家的賦稅收入。
所以歷代統治者都要想辦法抑制土地兼併,
確保耕者有其田。

今年太難了,
農田乾旱,禾苗枯死。
誰給五斗活命糧,
我的田就歸誰。

就這麼多了,
這年月,我這個地主家
也沒有餘糧啊。

災荒越嚴重,
我的田就越多!
嘻嘻嘻。

每位成年男子,
請到我處領取田地60畝。

北魏**馮太后**開始實施的「**均田制**」,
較好地實現了「制民之產」。
當時,戰爭造成北方人口銳減,
大片土地荒蕪,
於是北魏朝廷把閒置的無主土地授給農民耕種,
並從農民的收成中徵收租稅。

馮太后

（年幼的）孝文帝

北魏安居工程

按照均田制，
每個15歲以上的男子，
可以授得40畝耕地，
女子也可以授得20畝，
授給的田不准買賣，
年老或身死要還給官府。

另外，
每個男子還可以授得桑田20畝，
可以傳給後代，但限制買賣。
這樣就可以確保農民安居樂業。

哇！

這一望無際的田野
都是分給我的，
我不是在做夢吧？

北魏農民

有了均田制，
我鮮卑人從遊牧轉向吃糧，
朕終於可以遷都洛陽了！

（成年的）孝文帝

平城→洛陽
太和十七年

均田制並非政府單方面向民眾索取財富，
「為民制產」與「為官收租」並舉，
民富和國富都能得到實現。

均田制對抑制土地兼併有一定作用。
由於均田制分的是無主荒地，
對地主利益並不構成嚴重損害，
比較容易施行，
所以一直推行到唐代。

二、輕徭薄賦，與民休息

在古代，
國家要求民眾必須承擔一定的賦稅和徭役。

賦稅 就是農民每年農業收成後，
向國家繳納一部分「皇糧」或其他實物，
有時，賦稅是折算成貨幣來支付的。

徭役 就是國家興建工程，
要求民眾出力。

如果賦稅過重，
農民的收成不足以養活自己，
或者徭役過重，
耽誤了農業耕種與莊稼收割，
農民就會破產、流亡，
乃至鋌而走險。

尤其是當國家
剛經歷過戰亂、動盪時，
必須實行輕徭薄賦、
與民休息的政策，
即為政者減輕人民負擔，
重視農業發展，
使人民能安定生活，
恢復社會元氣。

西漢前期和唐朝前期，
都好好地實行這一措施，
從而造就了
令人引以為傲的漢唐盛世。

在這裡建一座露台要花多少錢？

得花掉十戶中產家庭的財產啊！

那就算了吧，
不能因我個人的享受，
加重百姓負擔。

漢文帝

工匠

以唐朝為例，
唐高祖開始實施**租庸調制**。①

「**租**」就是繳田租，
「**庸**」就是服徭役，
「**調**」就是繳納布帛；
漢朝的田租是三十稅一，
而唐朝僅四十稅一；

種類	租	庸	調
每年	粟2石	服徭役20天	絹2丈、綿3兩或布2.5丈、麻3斤

漢朝要求服徭役一個月，
唐朝只要求20天，
繳納的布帛也比北魏時期少一半。
這樣就大大減輕了百姓負擔。

① 如不服役，則按照每天繳納絹3尺或布3.75尺的標準，滿20天的數額以替代。如加役15天，則可免繳調；如加役30天，則租、調全免。

然而，
隨著朝廷用度日益糜費，
農民的負擔越來越重，
輕徭薄賦成為泡影。

到**唐德宗**時，
租庸調制被**兩稅法**[①]取代。

兩稅法也僅在初期有減輕賦稅的功用。
到後來雜稅一多，
反而增加了百姓負擔。
明末清初學者黃宗羲
將這種稅收改革後
農民負擔不減反增的現象
稱為「積累莫返之害」，
被當代學者概括為
「黃宗羲定律」。

兩稅法=租庸調+雜派

王安石免役錢法=兩稅法+雜派=
租庸調+雜派+雜派

張居正一條鞭法=
王安石稅法+雜派=
兩稅法+雜派+雜派=
租庸調+雜派+雜派+雜派

黃宗羲

① 兩稅法由宰相楊炎創立，將租、庸、調及各
　種雜稅全免，改為徵收貨幣為主，每年分
　夏、秋兩次徵收，所以叫兩稅法。

三、鼓勵工商業

歷史上許多統治者都實行重農抑商政策，
因為從事商業比種田更賺錢。

統治者認為，
如果百姓都去經商了，
就會損害國家的糧食安全。

但是要實現藏富於民，
光靠農業是不夠的。
司馬遷認為，
民眾追求財富是合理恰當的，
因此**主張農、工、商、虞②並重**。

漢高帝·劉邦

埃下決戰剛成功，
國庫緊張糧食空，
因此禁止商賈穿絲綢、坐車，
商賈人頭稅也要翻倍。

宋朝是少數鼓勵工商業發展的朝代，
因為宋朝在對外戰爭中長期處於劣勢，
光靠盤剝農民不足以支付高額的「歲幣」。

在唐代，
城市居住區與商業區分開，
商業活動一般僅允許在每天**下午**進行。

而到**宋代**，
城市商業打破了市坊約束，
商業網點遍布全城，
而且可以**全天營業**。

夜市剛歇業，早市就開張。
武大郎炊餅，陽谷縣一絕。

② 虞是指開採自然資源的經濟活動。

宋朝的商業稅分為兩種，
稅率都很低，
過稅是按行商販運貨物徵收的稅，稅率僅2%；
住稅是按坐賈進貨數量徵收的稅，稅率僅3%。

朝廷還**禁止官員下海經商**，
與民爭利，
西元973年，
宋初著名宰相趙普罷相，
罪名之一就是經營
高利貸業務的邸店。

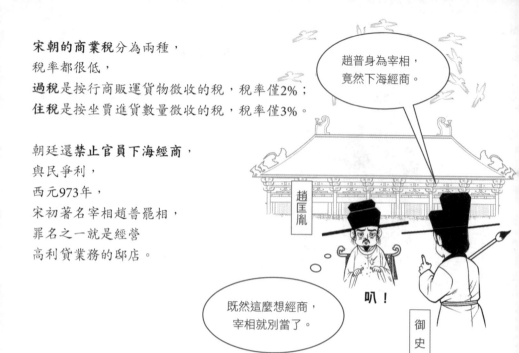

宋朝管理工商業的機構十分健全。
如果某地具有某種豐富的**物產資源**，
朝廷就會將這個地方劃分為「**監**」，
相當於今天的經濟開發區。

為了管理各種工商稅務及貿易，
宋朝設立了許多「**務**」，
如樓店務、造船務、酒務、交子務、市易務……

陸上絲綢之路中斷後，
宋朝大力開拓海上商路，
並設立多個**市舶司**管理進出口貿易。

雖然兩宋和明代中後期，
都是工商業蓬勃發展的時代，
明朝還出現了資本主義萌芽，
但是宋明統治者對工商業的鼓勵
仍帶有局限性。
在他們看來，
農業才是根本，工商業只是末節。

而西歐各國在地理大發現以後，
普遍推行重商主義經濟政策，
保護、鼓勵本國工商業，
使西方稱雄世界數百年之久。

哥倫布以後，
有無量數之哥倫布，
達伽馬以後
有無量數之達伽馬，
而我則鄭和以後，
竟無第二之鄭和。

梁啟超

把越窯的青瓷販往波斯，
真是獲利豐厚呀！

商人

歷史上很多明君施行藏富於民的
政策，收到很好的效果，然而，
還有一些統治者殘酷剝削百姓，
嚴重影響了統治的穩定。明朝的
皇莊就是這樣。

從明朝中期開始，
皇室用度主要靠**皇莊**提供，
皇莊即**皇室的私家莊園**，
管莊太監從皇莊收取田租，
供皇室享用。

明孝宗弘治年間，
北京附近共有皇莊5座。
到明武宗時，皇莊急遽擴張，
增加到33處，
佔地三萬七千五百九十五頃四十六畝。
皇莊擴張的背後，
是**大量民田遭到侵佔**，
管莊太監殘酷剝削農民。

皇莊的實質是皇室與民爭利，
致使農民破產，流離困苦。

明朝中後期，
土地兼併本就十分嚴重，
而皇莊經濟相當於皇室帶頭兼併土地。
到萬曆後期，
終於引發了大規模農民起義，
明王朝最終在農民起義
與外敵進犯的交困中滅亡。

近代以來，
西方用堅船利炮轟開了中國國門。

為了中國的富強，
一些有識之士開眼看世界。
嚴復最早翻譯了英國
亞當‧斯密的《國富論》。
（原譯書名為《原富》）

亞當‧斯密認為，
市場規律就像一隻看不見的手，
利用人們追逐利益的慾望，
使供需達到平衡。

因此，
他反對政府干預國民的經濟活動。
這些理論豐富和發展了
中國富民思想的內涵。

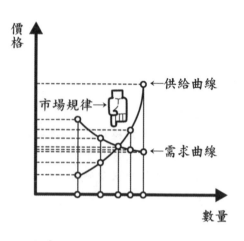

近代志士所追求的「富民」，
與古代「藏富於民」的觀念
既有延續性，又存在區別。

**近代「富民」的目的，
是為了實現強國，
所以更加關注工業化、
現代社會制度及思想。**
比如張之洞在《勸學篇》中提出，
政府應促進工商業相輔相成，
共同發展。

244

假如某個時代物質豐饒而精神貧瘠，能算真正的富有嗎？

看不見的手！

當然不算。今天，富裕還包含了社會文明的進步。

亞當·斯密

砰！

不好意思，手誤。

其實，
先秦諸子很早就意識到這一問題，
認為在實現藏富於民後，
還必須施行教化。

孔子最早提出，
對於人口眾多的國家，
先應該「富之」，然後再「教之」。
「富之」以實現藏富於民，
「教之」以實現社會進步。

> 衛國人口真多啊。

> 人口多了，
> 還能做些什麼呢？

> 讓他們富起來。

> 富了以後又如何呢？

孔子

弟子·冉有

衛國

> 再教育他們。

> 幹得漂亮！

《孟子》和《管子》
也對這一問題進行過闡述。
《管子》說：
「倉廩實而知禮節，衣食足而知榮辱。」
意思是：
只有百姓糧倉充實、豐衣足食，
才能顧及禮節，重視榮辱。

而《孟子》認為，解決好民生問題後，
再辦好學校，誘導人心向善，
百姓才會容易聽從。

> 如果讓老百姓
> 生養死葬都沒有遺憾……

歷史上的**江南**不但經濟富裕，
而且文化昌明、人文薈萃。

比如浙江湖州的南潯古鎮，
依靠絲織業繁榮起來以後，
出現了一大批富商巨賈。
南潯富商十分重視子孫的教育，
從宋朝至今，
這個古鎮至少出了41位進士、
8位「兩院」院士，
可謂人才輩出。

哇，
這才是真正的富裕！

南潯古鎮某富商莊園

再用孝順父母、
尊敬兄長的道理加以教化，

王道仁政
就算成功啦。

梁惠王

孟子

您這是建議我給全民投保麼？

消除貧困，共同富裕已成為現代文明的根本特徵之一，也正是當今中國全面實現小康的重要指標。

藏富於民
Keep Wealth with the People

將財富貯存在民眾手中。這是中國古已有之的政治經濟思想，先秦時期儒、墨、道、法、兵等各個流派對此均有闡發。它要求為政者薄斂節用，不要與民爭利、搜刮民財；另一方面對百姓要實行寬惠政策，允許、鼓勵百姓合理牟利致富。其中隱含有關於民富與國富統一性的認識：民富是國富的基礎，也是國家贏得民心的根本保障；而國富的根本不僅在於財富，更在於民心。它是「民本」思想的延伸。時至今日，藏富於民已成為現代文明的根本特徵之一。

引例：
◎善為國者，必先富民，然後治之。（《管子·治國》）（善於治理國家的人，一定會將使百姓富裕放在首位，然後才考慮如何治理百姓。）
◎取於民有度，用之有止，國雖小必安；取於民無度，用之不止，國雖大必危。（《管子·權修》）（對人民徵收賦稅有限度，使用上也有節制，國家即使小但一定能安定；若對人民徵收賦稅沒有限度，使用上也不加以節制，國家即使大也一定會有危險。）
◎善為國者，藏之於民。（《三國志·魏書·趙儼傳》）（善於治理國家的人，讓民眾擁有、存儲財富。）

制民之產
Sustaining the People's Livelihood

創制民眾的產業。「制民之產」是孟子（西元前372？-289年）提出的一種為政要求。孟子認為，百姓如果沒有穩定的產業收入，無法維持自身的生存，就會為了維持生計而背離道德。因此，為政者必須首先為百姓創造、提供必要的產業，使其生產所得能夠滿足日常生活的需要。「制民之產」是為政者推行道德教化的基礎和前提。

引例：

◎曰：「無恆產而有恆心者，惟士為能。若民，則無恆產，因無恆心。苟無恆心，放辟邪侈，無不為已。及陷於罪，然後從而刑之，是罔民也。焉有仁人在位罔民而可為也？是故明君制民之產，必使仰足以事父母，俯足以畜妻子，樂歲終身飽，凶年免於死亡。然後驅而之善，故民之從之也輕。」（《孟子·梁惠王上》）（孟子說：「沒有穩定的產業收入而有恆常的道德觀念的，只有士人可以做到。至於普通百姓，如果沒有穩定的產業收入，則沒有恆常的道德觀念，行為放縱，違法亂紀，什麼事情都做得出來。等到他們犯了罪，然後施加刑罰，這是陷害百姓。怎麼會有仁愛之人為政而做出陷害百姓的行為呢？因此賢明的君主會創制民眾的產業，必須使百姓上足以侍奉父母，下足以撫養妻兒，豐年能夠吃飽，災年不致餓死。然後引導民眾向善，百姓也就容易遵從了。」）

王者富民
A Ruler Should Enrich People.

想要推行王道的君主會使百姓富足。「王者」本指想要推行王道、統一天下的君主，泛指成就偉大事業的領導者。其中隱含的道理是：偉大的事業必須有民眾的廣泛擁護才能成功，為此，有作為的領導者必須把廣大民眾利益放在首位，而不能著眼於一部分人的利益，更不能著眼於個人利益。這和「民惟邦本」、「藏富於民」的思想息息相通。

引例：

◎故王者富民，霸者富士，僅存之國富大夫，亡國富筐篋、實府庫。筐篋已富，府庫已實，而百姓貧……則傾覆滅亡可立而待也。（《荀子·王制》）（所以想要推行王道的君主會使民眾富足，想要稱霸諸侯的君主會使士兵富足，勉強能存活的國家會使大夫富足，而亡國的君主只是富了自己的

箱子、塞滿自己的倉庫。自己的箱子已裝滿了，倉
庫已塞滿了，而老百姓卻貧困了……那麼，這樣的
政權離傾覆滅亡的日子也就不遠了。）

倉廩實而知禮節
When the Granaries Are Full, the People Follow Appropriate Rules of Conduct.

糧倉充實了，人們才會懂得禮節。出自《管子・牧
民》：「倉廩實則知禮節，衣食足則知榮辱。」
「倉廩」是古代儲藏米穀的地方或設施。「倉廩
實」、「衣食足」指糧食儲備充足，民眾不愁吃
穿，代指人們生產、生活所需的物質條件非常充
足，即物質文明發展到一定階段；「禮節」、「榮
辱」指社會的禮儀規矩和內心的道德準則，包括了
制度文明和精神文明。這句話揭示了物質文明和制
度文明、精神文明之間的關係：物質文明是制度文
明和精神文明產生的基礎和條件，制度文明和精神
文明是物質文明發展到一定階段的產物。如果民眾
的基本生活條件都得不到保障，即使有良好的制度
也難為人們所遵循，人們的精神品格也不可能得到
提升。在任何時候，物質文明建設都應當成為治國
理政的基本要務。這是一種非常務實的治國理念。

引例：
◎故曰：「倉廩實而知禮節，衣食足而知榮辱。」
禮生於有而廢於無。故君子富，好行其德；小人
富，以適其力。淵深而魚生之，山深而獸往之，人
富而仁義附焉。（《史記・貨殖列傳》）（所以
〔管仲〕說：「糧倉充實了，人們才能懂得禮節；
衣食豐足了，人們才能分辨榮辱。」禮因生活條件
的富足而建立，因生活條件的缺乏而廢棄。因此，
地位高的人富了，就會廣泛推行道德；平民百姓富
了，就會根據自己的力量遵行道德。水深了，魚自

然在那裡生長；山深了，野獸自然奔向那裡；人富了，仁義自然隨之出現。）

◎管子曰：「倉廩實而知禮節。」民不足而可治者，自古及今，未之嘗聞。……夫積貯者，天下之大命也。苟粟多而財有餘，何為而不成？以攻則取，以守則固，以戰則勝。懷敵附遠，何招而不至？（賈誼《論積貯疏》，見《漢書‧食貨志》）

（管仲說：「糧倉充實了，人們才能懂得禮節。」百姓的基本生活條件不足而能治理得很好，從古到今，還沒聽說過。……積蓄財物、貯存糧食是關係國計民生的大事。如果糧食多了，財富充裕了，那做什麼事不能成功呢？用來進攻則攻無不取，用來防守則固若金湯，用來作戰則無往而不勝。招撫敵方、遠方的人歸順，誰會不來呢？）

網友熱議

Antonio.Lee

私以為古代的藏富於民根本目的在於安撫民心、順應民意，以維護統治的長久。以明朝為例，孟森先生的《明史講義》中，在闡述明太祖輕徭薄賦、懲治貪腐、勸課農桑時，列舉了很多善政帶來的民風教化、民心向明，同時也描寫了萬曆年間礦監四出，擾民生，刮民財，終致萬劫不復。事實證明了明初的勵精圖治之盛，在成祖年間屢征蒙古平定安南的高消費軍事活動的背景下，國民經濟依舊持續向好，可見藏富於民的卓越成果。要真如晚明那般斂財，實行苛政，也不能怪江山易主，只能眼睜睜地看著忽喇喇似大廈傾，昏慘慘似燈將盡。歸根結柢，藏富於民是個民心工程，只有民眾有好日子過，江山才能坐得穩，坐得久。

天行劍	古代那些只在口頭上說著藏富於民的政權實質是對士族的妥協。

例如王安石變法時，受商人和大地主支持的、佔據多數的保守派便是高舉「不與民爭利」的大旗阻撓王安石的惠民政策。

真正的藏富於民，古代雖有文景、貞觀，還是不如當下。

> 鏟史官：任何理念都是雙刃劍，關鍵要看怎麼實行。道家的清淨無為本來是很好的思想，但是被西漢的軍功階層用來維護既得利益，禮教可以用來安定社會秩序，也可以用來殺人。

Adonis

商鞅提倡的「弱民」是相對於「強國」而言，所謂「弱民」，是指壓抑民眾的需求，使其能夠專心務農。這和他獎勵耕戰都是一個道理，在當時的社會背景下，土地私有、發展生產、加強中央集權、提高國力，才能使秦國在兼併統一戰爭中佔據優勢，並不能說他就沒有或者反對藏富於民。若真是這樣，秦國如何支撐長期的統一戰爭？我們看問題不能太絕對，要結合當時的歷史背景來。

劉昆

亞當‧斯密的理論也有漏洞，太理想化了，政府不干預經濟，也會有別的代替政府來干預，後果反而更嚴重，因為權力拒絕真空。1949年前，東北大部分農村處於無政府狀態，經濟沒有發展起來，土匪倒是發展起來了，一個匪幫管控幾個村。國外那些政府勢力弱的國家，經濟倒是可以算自由經濟，但並沒有起色，黑社會倒是異常猖獗來插手經濟。經濟是一個異常複雜的問題，目前各主流學派都有一定道理，也都存在很嚴重的問題，如果真有那麼完美的經濟理論，各國參照執行就好了，也不會出現各種經濟問題了。

而且歷代措施得力的時代，基本上都是剛結束了一

輪動盪的時候，處於人少地多的情況，只要政府不
亂作為，不管是無為而治還是分無主的田地，社會
生產都會迅速恢復。而等人口到了土地產量極限的
時候，再加上天災人禍吃不飽，就迅速動盪起來。
土地兼併只是一個問題，另一個問題是人口和資源
的問題。朝代更替也和資源夠不夠分很有關係。例
如在出現資本主義萌芽的晚明，財富主要集中在江
南，而西北連湯都喝不上一口。還是那句話，經濟
太複雜了，沒有一個定論。

遊於藝

建安風骨

曹操的文學天團為什麼
群星璀璨？

西元196年，
漢獻帝脫離了董卓餘黨的挾制，
從長安逃亡到洛陽。
為了慶賀劫後餘生，
改年號為「**建安**」①。
不久，獻帝被曹操迎到許縣。

陛下，從今以後，臣養你呀！

輕點捏，手疼。

獻帝

曹操

剛擺脫了一群渣男，又被設計了。

① 西元220年，建安年
號隨著曹操的逝世
而廢止。

白骨露於野，千里無雞鳴。
生民百遺一，念之斷人腸。

曹操

東漢末年，戰火紛飛，
災荒頻仍，疫病流行，
中國人口大約銳減了60%②。
雖然建安在歷史上
是一個命如草芥的劫難時代，
但在文學上卻是大放異彩的時代。

② 數據來源於葛劍雄《中國人口史》。

曹操在重建天下秩序的同時，
不斷招納文士，
從而形成了一個以曹氏父子及其幕僚為中心的
「文學天團」。
這一天團包括當時多位文學名家，
他們的創作後世稱為「**建安文學**」③。

③ 建安文學的起止時間並不嚴格限
　定於建安年間，而是泛指漢末魏
　初曹魏集團統治下的文學創作。
　同時代的吳、蜀兩國文學都不繁
　榮，傳世名作基本上僅有諸葛亮
　的前、後《出師表》。

> 我的麾下不僅有軍師聯盟，
> 還有最炫的文學天團！

> 武能上馬殺敵，
> 文能吟詩作賦。

建安文學天團的旗手，
當屬曹魏政權的實際創立者**曹操**。
史書記載，曹操文武雙全，
統率軍隊30餘年，手不釋卷，
白天講軍事戰略，晚上讀經傳文章，
每當登高臨遠，必要賦詩作文。

曹操的養祖父**曹騰**曾任職於**黃門**，
而東漢的黃門鼓吹署相當於西漢樂府，
負責蒐集、演唱民間歌謠。
或許因為家族的原因，
曹操對樂府這種民間歌謠
有一種由衷的熱愛。

歌女卞氏

上邪，我欲與君相知，
長命無絕衰。
山無陵，江水為竭。
冬雷震震，夏雨雪。
天地合，乃敢與君絕。

青年曹操

小禮物走一走……

真帶勁，
這種通俗歌謠比宗廟
雅樂動聽多了。

小愛提問

這個小姐姐唱的
什麼歌？好像很
美的樣子。

這是一首樂府詩，是某個漢朝
妹子的愛情誓言。漢樂府通常
以紀實的方式反映底層人民的
悲歡，語言樸素，敘事曲折，
感情激烈，但由於是民間歌謠，
一般未記錄詩人姓名。

到後來，文人們開始模仿樂府詩，
來抒發遊子的思鄉情結，
比如《古詩十九首》。
而曹操則借用樂府詩形式來表現重大題材。

《蒿里行》原本是民間送葬的輓歌，
曹操卻用來抒寫關東諸侯聯軍
討伐董卓這一重大事件。

關東有義士，興兵討群凶。
初期會盟津，乃心在咸陽……

謝謝我曹哥
刷的火箭！

初平元年（西元190年），
董卓把持朝政，無惡不作。
曹操逃出洛陽，散盡家財，
興舉義兵，討伐董卓，
關東群雄紛紛響應。

然而，由於軍閥們各懷鬼胎，
逡巡不前，
曹操只好單獨進攻董卓，
結果兵敗受傷。

諸侯們都喝得很嗨……

軍合力不齊，躊躇而雁行。
勢利使人爭，嗣還自相戕。
淮南弟稱號，刻璽於北方。
鎧甲生蟣蝨，萬姓以死亡……

你們天天這樣醉生夢死，
就不怕天誅地滅嗎？

《蒿里行》如實記錄了
反董卓聯盟由聚到散的過程，
對關東軍閥畏敵不前的醜態痛加批判，
對戰爭給人民帶來的災難深表同情，
展現了一代梟雄人性關懷的一面。

豎子不足與謀……

260

作為心懷雄圖的一代梟雄，
曹操的氣魄不同於一般文人。
建安十二年（西元207年），
曹操為了徹底消滅袁氏殘餘勢力，遠征烏桓，
來到渤海之濱的碣石山，登山觀海，
寫下了中國現存第一首完整的山水詩《觀滄海》。

秋風蕭瑟，洪波湧起。
日月之行，若出其中。
星漢燦爛，若出其裡。

東臨碣石，以觀滄海。
水何澹澹，山島竦峙。
樹木叢生，百草豐茂……

15分擺在這兒愛背不背……

《觀滄海》中，詩人以雄健的筆力，
生動飽滿地描寫了滄海吞吐日月、
涵孕星辰的氣魄，
體現出了詩人的博大襟懷。

儘管曹操功成名就，壯志得酬，

卻經常在詩歌中流露出人生苦短的悲涼傷感。

比如曹操寫《**短歌行**》的宗旨，

原本是為了表達求賢若渴的心情和平定天下的壯志……

然而

「月明星稀，烏鵲南飛。繞樹三匝，何枝可依」的

淒冷意象卻使

全詩氛圍過於悲涼，

難怪羅貫中會腦補出

曹操殺害諫臣的故事。

為什麼曹操的詩會辣麼傷感呢？

這是因為，**曹操繼承了樂府詩的紀實傳統，**
而詩中反映的現實是一場大劫難，
非但百姓命如螻蟻，
上層人士也不能倖免，
曹操的父親、長子、侄兒都死於戰亂，
所以他經常在詩中悲嘆人生無常。

主公，
郭奉孝軍師
去世了。

曹操

人生就像
早晨的露水一樣，
說沒就沒呀！

曹操的詩雖然傷感卻並不消沉，
而是以一種飽滿的激情和進取的精神
直面慘淡的人生，
把建立不朽的功業作為短暫生命的延續。
正如曹操晚年名作 《龜雖壽》 中所述……

老驥伏櫪，志在千里。
烈士暮年，壯心不已。

曹操除了會作詩以外，
還被魯迅稱為「**改造文章的祖師**」。
曹操性格通脫，不受規則的拘束，
他寫文章也從不引經據典，不拘泥舊格，
而是直抒胸臆。
曹操臨終的 《遺令》 ，
瑣碎地交代了葬禮的安排和遺產的分配，
體現了曹操感情細膩的一面。

我還留有一些薰香，
可以分給各位夫人。

要死快死！

我死後，眾妾如果無事可做，
可以跟劉備當年一樣，編織鞋子去賣錢。

夫人們聽完都感動地說……

曹操死後，**曹丕**篡漢建魏，
並延續建安文學天團的輝煌。
與曹操相比，
曹丕缺少那種吞吐日月的氣魄，
但是性格更加敏感纖細，
因此他的**詩歌辭藻更富麗，
風格更柔美。**

皇帝是我的職業，
文學是我的愛好。

曹丕

文人相輕
自古而然

君何淹留寄他方？
賤妾煢煢守空房。
憂來思君不敢忘，
不覺淚下霑衣裳。

曹丕的《燕歌行》（之一）
是中國現存第一首成熟的七言詩。
詩中寫了一個女子在難眠的秋夜
思念遠方的丈夫，
全詩語言清麗，音節和諧，情感哀怨。

建安風骨　265

曹氏三父子中，**曹植**才華最高，命運最慘，
堪稱天團中最奪目的巨星。
建安十五年（西元210年），
鄴城的**銅雀台**建好後，
曹操讓兒子們登台作賦，
18歲的曹植一揮而就，華章燦然。
《三國演義》中，
羅貫中筆下的諸葛亮
別有用心地篡改這篇賦，
用來矇騙周瑜。

266

由於曹植才高八斗，
他早年很受父親寵愛，差點被立為太子。
因此，曹植早期作品主要是抒發他想要建功立業的理想抱負，
詩中洋溢著樂觀的精神。
比如膾炙人口的《白馬篇》。

> 棄身鋒刃端，
> 性命安可懷？
> 父母且不顧，
> 何言子與妻！

> 邊城多警急，
> 虜騎數遷移。
> 羽檄從北來，
> 厲馬登高堤。
> 長驅蹈匈奴，
> 左顧凌鮮卑。

《白馬篇》刻畫了
騎射嫻熟的遊俠形象，
表現他英勇赴敵的愛國情操，
「幽并遊俠兒」實際上是曹植政治理想的化身。
全詩充滿了奮發昂揚、視死如歸的大無畏氣概。

然而，
由於曹植飲酒無度，放縱不羈，
後來失去了曹操的寵愛。
曹操死後，
曹植的命運一落千丈。
儘管「**七步成詩**」只是故事，
但是曹植受到的猜忌、迫害卻並非虛假。

高樹多悲風，
海水揚其波。
利劍不在掌，
結友何須多？

曹丕即位後，曹植最好的
朋友丁儀被滿門抄斬。

魏文帝黃初四年（西元223年），
曹植與兄弟曹彰、曹彪到洛陽朝覲。
期間，曹彰不明不白地死去。
曹植與曹彪分別時，寫下**《贈白馬王彪》**，
詩中沉痛悼念了曹彰的英年早逝，
抒發歷年來屢受迫害的憤懣。

太息將何為，天命與我違。
奈何念同生，一往形不歸。
孤魂翔故域，靈柩寄京師。
存者忽復過，亡殁身自衰……

唉，
我的傻侄兒啊，
老曹家的天下，
不重用姓曹的，
倒信任司馬父子，
你可長點心吧！

曹丕死後，曹植多次上書魏明帝曹叡，
請求重用，始終沒能如願。
曹植還警告過曹叡注意司馬氏專權，
也沒有引起重視。
西元232年，當了多年政治囚徒的
曹植鬱鬱而終，
年僅41歲。

曹植不但詩歌成就很高，辭賦也有傑作傳世。

《洛神賦》中，
曹植虛構了自己與洛水女神相愛
卻因人神殊途而分離的故事。
賦中對女神容貌的刻畫，
堪稱古典文學描寫女性之美的巔峰之作。

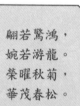

翩若驚鴻，
婉若游龍。
榮曜秋菊，
華茂春松。

小愛提問

曹植筆下的洛水女神，原型是他的嫂嫂甄氏嗎？

中國文學歷來有把政治理想比喻成美人的傳統，曹植追不到的女神，實際上是他難以實現的政治理想。

曹丕曾經評價當時的文人，
標舉**孔融、陳琳、王粲、徐幹、阮瑀、**
應瑒、劉楨為「七子」。
七子除了被殺的孔融外，
其餘六人都是曹氏文學天團中的成員。

建安七子中才情最高的當屬**王粲**，
被譽為「**七子之冠冕**」。
王粲早年曾經跟隨獻帝西遷長安，
親眼目睹了董卓餘黨李傕、郭汜的暴虐，
他在前往荊州避亂的路上寫下了《**七哀**》詩（之一）。

南登霸陵岸，
回首望長安，
悟彼下泉人，
喟然傷心肝！

王粲

路有飢婦人，
抱子棄草間。
顧聞號泣聲，
揮涕獨不還……

《七哀》詩以「西京亂無象」開篇，
描寫關中生靈塗炭的慘狀，
並具體描繪了一位飢餓的婦女
拋棄親生骨肉的場面。
清代詩人沈德潛認為，
此詩是杜甫
「《無家別》、《垂老別》諸篇之祖」。

憑軒檻以遙望兮，向北風而開襟。
平原遠而極目兮，蔽荊山之高岑。
路逶迤而修迴兮，川既漾而濟深。

後來，王粲長期客居荊州依附劉表，
但劉表對中原士人戒心很重，
因而王粲未獲重用。
建安九年（西元204年），
王粲登上麥城城樓，北望中原，
寫下了《登樓賦》，
抒發了思念故鄉、懷才不遇的鬱悶，
並希望天下統一，自己才華得展。

劉表死後，
王粲勸劉琮投降曹操。
後來，
王粲得以加入曹氏文學天團，
41歲時死於流行病。
傳說王粲喜歡驢叫，
曹丕為他致悼詞時，
勸參加喪禮的人每人學一聲驢叫，
以送別王粲。①

① 曹丕勸人學驢叫這個故事，出自筆記小
　說《世說新語》，這部書記載了魏晉名
　士的言行風度。

建安七子中的**陳琳**，
以替袁紹起草討伐曹操的檄文而聞名。
雖然他把曹氏三代都罵了個遍，
但是仍被曹操招進天團。
陳琳真正的代表作是《飲馬長城窟行》，
揭露了繁重的徭役給人民帶來的災難。

哈哈哈，
以後就跟哥策馬奔騰
共享人世繁華吧。

生男慎莫舉。
生女哺用脯。
君獨不見長城下，
死人骸骨相撐拄。

陳琳

曹氏文學天團中，還有一位才女**蔡文姬**。
她是名士**蔡邕的女兒**，
董卓之亂時被南匈奴擄走，
嫁給左賢王，生了兩個孩子。
後來曹操念及與蔡邕的舊交，花重金將她贖回。
蔡文姬現存的作品中，五言《悲憤詩》比較可信。

這首詩記述了她被擄走到被贖回到中原的經歷。
全詩一百零八句，計五百四十字。

詩中將時代的動亂、軍隊的殘暴、民眾的悲慘、
個人的不幸織成一幅血淚長卷。
尤其是描寫董卓軍隊擄掠平民
和詩人將回中原時與親生骨肉訣別這兩段，
讀來令人痛徹肝腸。

阿母常仁惻，
今何更不慈？
我尚未成人，
奈何不顧思？

蔡文姬

斬截無孑遺，
屍骸相撐拒。
馬邊懸男頭，
馬後載婦女。

注：蔡文姬的《胡笳十八拍》，
　　蘇東坡認為是後人的偽作。

小愛提問

說了這麼多，建安文學整體上有
什麼藝術特色呢？

主要有四點。

1. 繼承了《詩經》以來「風」的傳統，描畫社會現實，
　　真實反映戰亂年代底層民眾的心聲；
2. 感情真摯濃烈，不矯揉造作；
3. 筆力遒勁、神清氣爽，文辭精煉，質樸天然；
4. 胸懷天下，以慷慨激昂的姿態面對人生。

南朝劉勰在《文心雕龍》中，
把建安文學的風格概括為「風骨」。

故練於骨者，析辭必精，
深乎風者，述情必顯。

—— 文心雕龍・風骨

劉勰

建安風骨，
比現在流行的靡靡之音
不知高到哪裡去了。

究竟什麼是
「風骨」呢？

是評價文學的一種標準。「風」是
指作品富於感染力，感情充沛，動
人心魄；「骨」是指作品富於表現
力，筆力雄健，文辭精煉。

風骨兼備的建安文學，
受到後世詩人的追慕，
成為反對綺靡柔弱詩風的一面旗幟。
南朝的鍾嶸、唐朝的陳子昂和李白
都特別推崇建安詩風。

唉，五百年來，詩文越寫越糟糕！
到齊、梁時期，就知道一味堆砌辭藻，
什麼時候漢魏風骨能重現於世呢？

陳子昂

別忘了點讚並分享噢！

魯迅說，建安是「**文學的自覺時代**」。
建安文學有著鮮明的個性，
崇尚通脫，表達直率，不拘泥於禮教。
受建安風骨影響，
魏晉士林形成了一種
崇尚率真超脫的「**魏晉風度**」。

建安風骨

The Jian'an
Literary Style

又稱「漢魏風骨」。指漢獻帝建安年間（西元196-220年）至魏初這一時期的文學作品中由剛健悲慨的思想感情，與清朗遒勁的文辭凝結而成的時代精神和總體風格。漢末政治動蕩，戰亂頻繁，人民流離失所。這一時期的代表作家有曹操（西元155-220年）、曹丕（西元187-226年）、曹植（西元192-232年）、孔融（西元153-208年）、陳琳（西元？-217年）、王粲（西元177-217年）、徐幹（西元171-218年）、阮瑀（西元165？-212年）、應瑒（西元？-217年）、劉楨（西元？-217年）和女詩人蔡琰等人，繼承了漢樂府民歌的現實主義傳統，在創作中多直面社會動亂，反映民生疾苦及個人懷抱，抒發了建功立業的理想和積極進取的精神，表現出剛健、向上的抱負和豪邁、悲慨的情懷。「建安文學」的總體風格是悲涼慷慨、風骨遒勁、華美壯闊，具有鮮明的時代特徵和個性特徵，形成了文學史上獨特的「建安風骨」，從而被後人尊為典範，其中又以詩歌成就最為突出。

引例：

◎暨建安之初，五言騰踊，文帝、陳思，縱轡以騁節；王、徐、應、劉，望路而爭驅；並憐風月，狎池苑，述恩榮，敘酣宴，慷慨以任氣，磊落以使才。（劉勰《文心雕龍・明詩》）（到了建安初期，五言詩創作空前活躍，魏文帝曹丕和陳思王曹植馳騁文壇；王粲、徐幹、應瑒、劉楨，隨後奮力爭先；他們都喜愛風月美景，遊玩清池園囿，記述恩寵榮耀，敘寫酣飲宴集，慷慨激昂地抒發豪氣，灑脫直率地施展才情。）

風骨
Fenggu

指作品中由純正的思想感情和嚴密的條理結構所形成的剛健勁拔、具強大藝術表現力與感染力的神韻風貌。其準確涵義學界爭議較大，但大致可描述為風神清朗，骨力勁拔。「風」側重指思想情感的表達，要求作品思想純正，氣韻生動，富有情感；「骨」側重指作品的骨架、結構及詞句安排，要求作品剛健遒勁、蘊含豐富但文辭精煉。如果堆砌辭藻，過於雕章琢句，雖然詞句豐富繁多但內容很少，則是沒有「骨」；如果表達艱澀，缺乏情感和生機，則是沒有「風」。風骨並不排斥文采，而是要和文采配合，才能成為好作品。風骨的高下主要取決於創作者的精神風貌、品格氣質。南朝劉勰（西元465？-520年）《文心雕龍》專門列有《風骨》一篇，是中國古代文學批評史上首篇論述文學風格的文章。

引例：
◎文章須自出機杼，成一家風骨，何能共人同生活也。（《魏書・祖瑩傳》）（文章必須有自己的構思布局，有自己作品的風骨，如何能與他人同一個層次。）
◎捶字堅而難移，結響凝而不滯，此風骨之力也。（劉勰《文心雕龍・風骨》）（字句錘煉確切而難以改動，讀起來聲音凝重有力而不滯澀，這就是風骨的魅力。）
◎若能確乎正式，使文明以健，則風清骨峻，篇體光華。（劉勰《文心雕龍・風骨》）（倘若能夠定好正確合適的文體，使文采鮮明而又氣勢剛健，那麼自可達到風神清新明朗，骨力高峻勁拔，通篇文章都會生發光彩。）

網友熱議

Onion'R

我認為曹操是漢末魏晉時期第一人。曹操的綜合能力，無論行軍、治政，還是個人武勇、文學水平都很強。論綜合能力可算是當時第一，連諸葛亮都略輸一籌。

楊逢春

兵荒馬亂的年月，能活下來都很不容易。小編能否分析一下為什麼在這種背景下，文學還能大爆發？

> 鏟史官：所謂「文章憎命達」，越悲慘的時代，文學作品中抒發的情感越真實細膩，越能打動人。

侯兵兵

私以為，六朝才是文章的巔峰（至少單從對漢語語言的運用來說），後面所謂的古文運動、近代的白話文運動，不過是知識下移、大眾普及的需要，發展好了以後貶低六朝給自己找合法性而已（文字運用水平比不上就只能說我內容好了）。

> 鏟史官：六朝是中國文學練等的階段，各種文學技巧修練純熟以後，再來打任務。文學成就不能光追求形式的完美和技巧的純熟，精神的激昂、骨力的雄健是更高級的要求。

漁燈兒

曹氏父子鞍馬間為文，往往橫槊賦詩。
雖然不喜歡曹操，但是他寫的詩真的蒼涼大氣。更難得如此諸多佳作，竟都是在戎馬廝殺的征戰生涯的間隙寫成的。

星雨軒

說到建安七子，讓我想起了另一個魏晉時期的男子偶像天團——竹林七賢。嵇康、阮籍、阮咸、劉伶、山濤、王戎和向秀。當時，士大夫階層已經對司馬氏的統治失望透頂卻又無可奈何，逃避世俗

生活成了一種沒有選擇的選擇。就如阮籍，在一個女子的葬禮上哭得死去活來，說兵家之女才色雙全，居然未嫁而亡，上蒼太不公平。別人以為他和這位兵家關係很好，一問才知道他壓根不認識這家人……他哭的是他自己，哭自己滿腹經綸，卻無明主可報。

不才　　　　建安年間也是《三國演義》中最精彩最核心的篇章了：官渡之戰，三顧茅廬，赤壁之戰，漢中之戰，關羽威震華夏……都發生在這一期間。這些故事至今讀來都令人神往。

世外桃源

陶淵明的名篇中藏有
哪些歷史密碼？

上國中時，
我們學過陶淵明的《桃花源記》。
那裡芳草鮮美，落英繽紛，
與世隔絕，遠離戰亂，
人們過著安寧而美好的生活。

有人學完課文以後，
內心一直在糾結，
那個桃花源後來再也沒有人找到過，
當年太守派去的人沒找到，
南陽的劉子驥沒找到，
後世那些惦記著桃花源的人
也都沒有找到……

桃花源到底在哪裡？

這個謎題宛若初戀，
成為少年時的一個心結，
長久隱藏在記憶深處，
在後來歲月裡的某一刻，
不經意間就撩動我們的心弦。

生活不止有眼前的苟且，
還有詩和遠方……

任何想像
都植根於
現實的土壤。

卡爾·馬克斯

今天，我們就試著來解開這個謎題。
首先可以確認的是，
即便桃花源只是陶淵明的想像，
它也一定有原型，
因為——

為了能更加進入歷史語境，
我們先細讀一遍原文。
《桃花源記》說的是，
東晉孝武帝太元（西元376-396年）年間，
武陵郡有個人以打魚為生。

一天，他順著溪水行船，
忘記了路程的遠近。
忽然遇到一片桃花林，
生長在溪水的兩岸，
長達幾百步，
初放的桃花令人應接不暇。

漁人感到十分詫異，
繼續往前行船，
想走到林子的盡頭。
桃林盡頭就是一座山，
山上有個小洞口，
洞裡彷彿有光。

《桃花源記》的「現實土壤」，即陶淵明所生活的年代——東晉。

於是他下了船，從洞口進去了。
起初洞口很狹窄，僅容一人通過。
又走了幾十步，
突然變得開闊明亮了。
呈現在他眼前的
是一片平坦寬廣的土地，
一排排整齊的房舍。

還有肥沃的田地、美麗的池沼、
桑樹竹林之類的。
田間小路交錯相通，
雞鳴狗叫到處可以聽到。
人們在田野裡來來往往耕種勞作，
「男女衣著，悉如外人」。

村民看到漁人，
感到非常驚訝，
問他是從哪兒來的。
漁人詳細地作了回答。

村民邀請他到自己家裡去，
「設酒殺雞作食」。
村裡的人聽說來了這麼一個人，
就都來打聽消息。

這不是廢話嗎？

我武陵郡的。

幹什麼的？

釣魚黨。

這幾天來，
承蒙大家的熱情招待，
我很欣慰。

我們這個地方人跡罕至，
千萬不要和外人說啊。

我懂。

留下記號，
發財的機會來了。

入口

其餘的村民各自
又把漁人請到自己家中，
都拿出酒飯來款待他。
漁人停留了幾天，
向村裡人告辭離開。

漁人出來以後，
找到他的船，
就順著原路回去，
還處處都作了標記。

到了郡城，
漁人向太守報告了這番經歷。
太守立即派人跟著他去，
尋找之前所作的標記，
但迷失了方向，
再也找不到通往桃花源的路了。

大膽刁民，
竟敢來消遣你大爺。

長官，冤枉啊，
我真的去過桃花源。

留給我的時間不多了，
我的桃花源，你在哪裡？

南陽劉子驥

南陽人劉子驥是個志行高潔的隱士，
聽到這件事後，
高興地計劃前往。
但還沒有找到，
就因病去世了。
故事到這裡完了。

復習完一遍原文後，

如果我們足夠仔細，

就會發現這個故事存在一些不合常理的地方：

1. 從桃花源村民「不知有漢，無論魏晉」
   可推出，「避秦時亂」的秦是秦朝。
   而秦朝的口音是上古音，
   東晉時期的口音開始向中古音轉變，
   兩種口音交流起來會比較困難。

2. 桃花源的村民在與世隔絕的情況下，
   他們的服飾應該是延續著秦朝服飾的特色，
   但文中卻說他們的衣著「悉如外人」，
   和身穿東晉服飾的漁人一樣。

3. 在沒有電話的東晉，
   為避免家人擔心，
   漁人盡早回家才符合常情，
   但他在桃花源挨家挨戶吃了好幾天。

4. 漁人答應了村民
   不外洩桃花源的祕密，
   卻在路上處處留下記號，
   一回去就報告了太守。

要讓以上不合理之處得到合理的解釋，
只有一種可能——
桃花源的村民撒謊了：
村民先世「避秦時亂」來到桃花源，
其中的「秦」並非嬴政
所建立的秦朝（西元前221-前207年），
而是指**氐族人苻洪**
建立的**北方十六國之一的**
前秦（西元350-394年）。

只有這樣才能解釋，
為什麼桃花源村民與漁人交流並無障礙，
甚至連衣服都一樣。
由此可得出，
村民先世大約是在西元350-376年
這個時間段從北方遷徙到武陵的。

	原因	時間
遷徙	避秦時亂	前秦（西元350-394年）
相遇	漁人捕魚	晉太元年間（西元376-396年）
結論	大約在西元350-376年期間遷徙	

那麼,
在西元350-376年間這個時間段,
歷史上發生過
北方流民遷徙到南方的大事件嗎?
還真發生過。

東晉後期及劉宋時期的三次流民潮		
第1次	東晉寧康元年至宋永初二年	西元 373 - 421 年
第2次	宋永初三年至泰始五年	西元 422 - 469 年
第3次	泰始六年以後	西元 470 年 - ?

注: 上表據葛劍雄《中國移民史》第二卷第十章
    「永嘉之亂後的人口南遷」整理。

晉孝武帝司馬曜

對比上表,
可得到一個相對精準的時間,
即桃花源村民的先世約在**西元373-376年**
這四年間從北方遷徙到武陵桃花源,
當時東晉在位的皇帝是**孝武帝司馬曜**。

陶淵明的老家潯陽（今江西九江）
就有很多前秦流民。
當時，
東晉朝廷在南方僑置①州郡，
潯陽當時接收的主要是弘農郡的流民。

① 朝廷遷移，在新地沿用舊有行政區劃。

這一次南遷的流民主要聚集在京口（今鎮江），
由流民帥②帶領，
成了後來東晉的生力軍——
北府兵的主要來源；
有些流民則散落在南方各地，
與當地人混居。

② 豪族私募流民為私人軍
　隊者，稱之。

至此，我們可以得出初步的結論：
桃花源的村民極有可能是**前秦流民**。
桃花源村的建築格局，
似乎可以進一步佐證這一點。
「土地平曠，屋舍儼然，
有良田美池桑竹之屬。
阡陌交通，雞犬相聞。」
這句透露的訊息有：

1. 居所經過統一的規劃，周圍圍繞著池塘、桑竹；
2. 田地較為集中，大家一起勞動。

這表明桃花源很可能是一個**聚族而居的村落**。

「屋舍儼然」這四個字，

在唐高祖敕令編修的《藝文類聚》卷六十八

「果部」上作「邑室連接」，

邑室連接正是類似北方塢堡的建築風格。

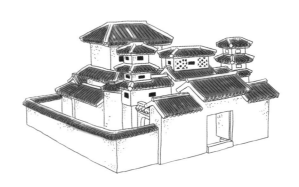

流民即便逃離了前秦，

遷徙到了南方的東晉王朝，

他們的房屋依然不脫北方塢堡的本色。

可以說是江山易改，

風俗難移。

那麼，問題來了，身為前秦流民的
桃花源村民為什麼要撒謊呢？

可能是為了逃避「王稅」。

在陶淵明生活的東晉末年，
他家鄉潯陽就有許多人
由於負擔不起沉重賦稅而逃避到深山險境中，
《晉書‧劉毅傳》載：

所統江州……
男不被養，
女無匹對，
逃亡去就，
不避幽深。

我不同意，
這樣就壞了規矩。

我的看法
是做了他。

讓他發一個誓，
然後放他走吧。

逃避賦稅的前提，
是外人不知道這個世外桃源
但漁人的誤入打破了這個祕密。
所以，
桃花源的村民紛紛請漁人吃飯，
從而拖住漁人，他們需要時間決策。

漁人出去後，
他並沒有遵守
「不為外人道」的諾言，
而是很快就向太守告密，
企圖獲得封賞。
對於太守來說，
意外冒出來的人口
意味著賦稅和兵源，
所以太守很快就派人
跟著漁人去找桃花源。

老爺，桃花源人多糧廣，
我回來的路上作了記號，
機不可失。

如果你所言屬實，
本官定有重賞。

所謂害人之心不可有，
防人之心不可無。

很顯然，
桃花源的村民早有防範。
漁人帶兵去尋找時，
發現記號都不見了，
應該是桃花源的村民清除了。

至此，
我們總結一下以上文本分析的結論：

1. 桃花源先民是北方流民，約在西元373-376年遷到南方；
2. 為了逃避賦稅和兵役，他們過著與世隔絕的生活。

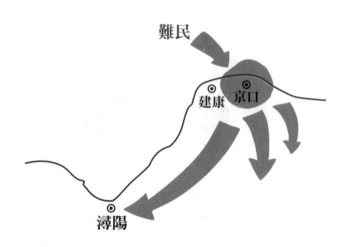

由此可以得出：
桃花源的原型應該在陶淵明的老家潯陽一帶。

故事開頭明明是寫著
「武陵」，這又是怎
麼回事呢？

可能陶淵明借鑑了當時
南方的一個傳說。

南朝宋劉敬叔的《異苑》記載了這個傳說，
即「武溪石穴」的故事：
元嘉初年，武陵蠻人射鹿，誤入石穴，
緣梯而上，突現異境，
「豁然開朗，桑果蔚然，行人翔翔，亦不以怪」。

蠻人

可以推想，
陶淵明和劉敬叔都聽過這個傳說。
因為陶劉二人都在江陵（今荊州）待過，
江陵與武陵（今屬湖南常德）不遠。

至此，我們可以得出：
《桃花源記》是陶淵明結合自身的
農家生活經驗，
以散落在江西的前秦流民為樣本，
糅合了「武溪石穴」的傳說創作而成。

「世外桃源」是陶淵明
筆下所描繪的一個安樂而美好的地方，
後喻指為人嚮往的美好世界或理想社會。
不僅令廣大困苦農民所嚮往，
還能讓政治上受壓的「士」階層
和統治集團中的不得志者所嚮往。

直到當下，「世外桃源」這個文化符號依然被不斷提及，如《暗戀桃花源》這部戲劇就在反覆上演。

春來遍是桃花水，
不辨仙源何處尋。

世外桃源

Land of Peach Blossoms/Land Of Idyllic Beauty

晉陶淵明（西元365〔一說372或376〕-427年）在《桃花源記》中所描述的一個安樂而美好的地方。那裡景色優美，與世隔絕，遠離戰亂，沒有政治壓迫，人們過著平等、自由、安寧、祥和、快樂而美好的生活。後喻指為人嚮往的美好世界或理想社會，也指脫離世俗、安樂自在的隱居之所。

引例：

◎土地平曠，屋舍儼然，有良田美池桑竹之屬。阡陌交通，雞犬相聞。其中往來種作，男女衣著，悉如外人。黃髮垂髫，並怡然自樂。（陶淵明《桃花源記》）（眼前是平坦寬廣的土地，房舍整整齊齊。有肥沃的田地、美麗的池沼和桑樹竹林之類的景色。田間小路四通八達，雞鳴狗叫都能聽到。人們在田野裡往來耕種勞作，男女的穿戴跟外面的人完全一樣。老人和小孩個個都安適愉快，自得其樂。）

網友熱議

Antonio.Lee

興，百姓苦；亡，百姓苦。世外桃源是中國古代人想像的理想國。古代遠大的政治理想，雷厲風行的改革措施，根本目的是為了維護統治。所謂的民本思想，並不是真正地把底層百姓擺在最高的位置。魏晉南北朝時的九品中正制更加劇了底層百姓生活的無望：門閥決定人生境遇，因此寒門永無出頭之日，境遇悲慘。各種政治鬥爭，武裝衝突，被衝擊得最厲害的一定是底層的人們。世外桃源就像是當時底層人民心中的一個盼頭，人們需要盼頭活下去，需要盼頭讓明天有勇氣去面對慘淡的人生。

江山風雨情　　桃花源的人挺像客家人的，遷移到新的地方落地生根，在適應當地生活的同時又一代代傳承著自己的習俗。有一些留在血脈中的習俗、傳承，無論多少代都不會改變。哪怕歷經戰亂、遷移，只要人還在、家族還在，那麼傳承就在。

約克郡檢察官　　從經濟學上推論大概是不存在桃花源的，社會的發展需要潛在的經濟增長來作支撐，經濟增長按照羅默的增長模型需要人口，不僅僅是單純的人口，而是數量可觀的人口，必要的人口數量才能滿足科技發展的條件。像一些原始部落幾千年來人口少，難以發展起來。最典型的就是西南太平洋的諸多島嶼，人口很少，在工業文明敲開大門的時候還保持著原始社會的習慣——採集和狩獵，使用石頭製品。可想桃花源只要想發展就一定需要大量的人口以及與外界交流，在高產作物未被引進時如何保持人口持續增長是個很難解決的問題。但倘若和外界交流，就不可能不被外界發現。只能說桃花源是古代苟延殘喘的平民百姓的精神寄託吧，畢竟歷經了諸多戰亂，佛道儒也不能給普通老百姓多好的精神寄託。

飛翔的熊貓　　東晉孝武帝時代的賦稅確實很重，但中國自古就有流民因為飢荒戰亂而進山躲避的。根據記錄在明憲宗時的湖北就有過，那時山裡居住的流民超過了100萬。那麼在更久遠的時代，幾百人的村落在荒山裡存在百年不為人知也是可能的。

【純酸奶】	好奇這個叫劉子驥的是誰。

> 鏈史官：歷史上實有其人。即《晉書·隱逸傳》中劉驎之。據《晉書·隱逸傳》載，劉子驥有一次去衡山採藥，看到澗水中有石門，裡面有仙方靈藥。又載，劉子驥雖冠冕之族，信義著於群小。有一位孤寡老人，病將死，嘆息對人曰：「誰當埋我，惟有劉長史耳。」所以陶淵明說他是「高尚士」。

LUKE	很有可能存在，而非陶淵明理想主義虛擬。陶淵明並沒有說其已在數百年，也沒斷言其後之數百年。50年前我作為地質隊員，崇山峻嶺中突現山青水秀的小盆地……幾家人和善禮貌，穿手織布衣卻整潔合身，語言與山外村民亦是不同……回營地私下與小隊長商量要不要問問公社的人……非仙境也，卻更讓我時時掛記。
純酸	即使世上有這種世外桃源，現實中的桃花源也會為卑鄙的漁人所破壞，陶公為文何其通透。

遊於藝

書法藝術

漢字書寫如何成為一門藝術？

在金庸小說《倚天屠龍記》中，
武當派弟子張翠山施展神功，
在懸崖峭壁上寫字，
令金毛獅王謝遜嘆服不已。
張翠山這套神功來自他師父張三丰。

當時，張三丰心傷愛徒俞岱岩癱瘓，
從《喪亂帖》中參悟出這套武功，
每一字都包含若干變化。
《喪亂帖》是東晉王羲之的書法作品，
點畫之間都浸潤了王羲之對先人墳墓
被毀的悲痛。

我終於能
體會到王羲之的
悲痛了。

張三丰

書法不但與武學相通，而且
是一門源遠流長的藝術。

為什麼漢字的書寫能成為一門藝術呢？

這就要從漢字的起源說起。

古人認為，

漢字是**黃帝的史官倉頡**創造的。

相傳倉頡造字的時候，

「天雨粟，鬼夜哭」，

因為人類掌握了文字，

就從蒙昧狀態邁入文明時代。

這叫字！

你畫的啥符呀？
別嚇我啊。

倉頡

19世紀末，
清朝官員王懿榮發現，
中藥材「龍骨」上，
刻有一些奇怪的符號，
這就是目前發現的最早的成系統的漢字
——**甲骨文**。

原來，
這些「龍骨」是**殷商人**
用來占卜的**龜甲**和**牛骨**。
甲骨文的內容主要是**占卜記錄**，
大到戰爭、祭祀，小到狩獵、農耕，
殷人都要進行占卜。

與甲骨文差不多同時產生的還有**金文**，
即青銅器上的銘文，
內容主要記錄貴族的
祭祀、任命、戰爭、慶典等活動。
金文起源於商朝，盛行於西周。

為何叫金文？

先秦將銅稱作「金」。你可以把它
看作古代微博，用簡短的文字記錄。
比如周宣王任命叔父毛公要職，毛
公一激動就發了個朋友圈，不，鑄
造寶鼎記錄這件事。

毛公鼎銘文

毛叔這是夾帶私貨，順便炫耀
周王對自己的信任……

春秋戰國時期的石刻文字叫作籀文，
又叫**大篆**。
廣義的大篆還包括甲骨文、金文。
秦始皇統一六國後，推行「書同文」，
命丞相李斯對大篆進行簡化，
創制**小篆**，並頒布為標準字體。
小篆線條圓潤整齊，字體修長，講究對稱，
為歷代書法家所鍾愛。

隸書的出現是漢字的一次大變革，
稱為「**隸變**」。
在戰國的簡牘文字中隸書就已具備了雛形，
但直到**東漢**，隸書才成熟完善。

隸書形體寬扁，橫畫長而豎畫短，結構一般左邊緊湊，右邊舒展，最具標誌性的是橫畫的「蠶頭雁尾」，起筆的時候逆鋒而入，形成「蠶頭」，收筆時提鋒向右上方挑出，形成「雁尾」。

隸書講究「蠶無二設，雁不雙飛」，一個字中「蠶頭雁尾」只能出現一次，比如「漢」字的最下面一橫。

與寬扁的隸書不同，**楷書**的形體平直方正，
又叫作「**正書**」、「**真書**」。
迄今能見到的最早的楷書，
是**漢末三國時期鍾繇的小楷作品**。

今日蒲世榮名同國休感
敢不自量竊致愚
憲沉思惟達晨坐以待
退思郇淺聖意所
棄捐念天下今
深念天下今
權之委質外
其舉：無有二計高

鍾繇

魏碑和唐楷有什麼不同？
與隸書又有什麼相似之處呢？

以鏟史官的「官」字為例。

隸書「官」　　魏碑「官」　　唐楷「官」

楷書按照發展階段，可分為魏碑和唐楷。
魏碑主要是北朝用來銘刻墓誌銘的書體，
風格古樸剛健，留有一些隸書味道。
唐楷是成熟於唐代的楷書，法度非常嚴謹。

漢朝人書寫隸書時，
有時寫得十分草率，筆畫相連，
就誕生了最早的草書——**章草**。
章草字字獨立，
還帶有一些隸書的筆意。
隨著楷書的誕生，**今草**也隨之出現，
上下字的末筆與起筆開始出現呼應牽連。
草書發展到唐代，又形成了**狂草**，
字形狂放多變，筆畫連綿不絕，
極具表現力。

草書的「官」字是
這樣寫的。

草書「官」

很漂亮，但是很難認，
堪比醫生手寫字。

草書其實並非任意潦草，
同樣有嚴格的法度。

好美，我還是
最喜歡行書。

行書「官」

楷書寫得太慢，草書太難認，
而**行書**則在二者之間。
如果把草書比喻為奔跑，
那麼行書就像在紙上徐行。
行書筆畫自然連續、
書寫流暢便捷、容易辨識，
所以成為最流行的漢字手寫書體。
在漫長的歷史中，
行書誕生了眾多傑出的書法作品。

行書既有楷書的實用性，
也有草書的藝術性。

在古人的大量書寫中，逐漸形成了書法藝術。書法的發展，經歷了以下幾個重要時期。

1 先秦

先秦書法雖然有著甲骨文的瑰奇、金文的凝重、大篆的婉曲、小篆的硬朗，但大多數書寫者並非自覺追求書法之美，**漢字書寫還沒有脫離實用的藩籬。**

這一時期的代表作
有西周早期的大盂鼎銘文、
西周晚期的毛公鼎銘文、
戰國時秦國的石鼓文，
秦朝嶧山、泰山、琅琊台等處的小篆刻石。

天下名山
都要刻上讚美朕的話，
要讓千秋萬代都知道
我德兼三皇、
功過五帝。

秦始皇

哦瞭，
安排好了。

李斯

2

隸書、草書、楷書、行書都定型於這一時期。
隨著書體的定型，
書寫者開始自覺探索具有美感的書寫技法，
書法家開始大量湧現。
東漢的**張芝**對章草進行改造，發明了**今草**。
他練習書法非常用功，
在池塘邊寫字，池水全都染黑了。

當你把這一池水
全部寫黑時，
就成書法家了。

做書法家有什麼捷徑嗎？

張芝

漢末名士**蔡邕**篆書、隸書水平都很高，
還創造了筆畫中留白的「**飛白書**」。
當時，儒家經典有版本差異，
朝廷校定經文後，
命蔡邕用隸書寫在石碑上，
這就是著名的「**熹平石經**」[1]。
蔡邕在《筆論》中提出「書者，散也」，
認為要想寫好書法，
先要抒放情性、摒除一切牽累與功利的雜念。

庖丁解牛時，
考慮的肯定不是牛肉的價錢，
寫字也是同樣的道理。

蔡邕

[1] 因為刻於東漢靈帝熹平四年（西元175年）
至東漢光和六年（西元183年），故得名。

西晉以後，隨著南北對峙，書壇也分為南北兩派：

北派以碑刻為主，風格古樸；

南派以紙帖墨跡為主，書風妍麗。

現存最早的傳世紙墨書法作品

是西晉陸機的《平復帖》。

抗戰期間，張伯駒為防止《平復帖》流落國外，

斥巨資收購，並於西元1956年捐獻給國家，如今

收藏在北京故宮博物院。

王羲之

書聖

鍾繇開啟的魏晉書風，經過衛夫人的傳承，
到東晉王羲之、王獻之父子手裡，
達到了全新的藝術高度。
王羲之書法博採眾長，
開創了風流俊逸的新體，
後世譽為「**書聖**」。

傳聞王羲之非常喜歡鵝，
一個道士為了得到
他書寫的《黃庭經》，
精心飼養白鵝，
終於得到他的青睞。
王羲之欣然寫經換鵝，傳為千古佳話。

想要鵝嗎？拿字來換。

成交

晉穆帝永和九年（西元353年）上巳節，
王羲之等41位名士在會稽山陰集會，
總共作了37首詩，編為《蘭亭集》。
藉著微醺的酒意，王羲之為詩集寫了一篇序言，
高超的書寫技法隨著行文時的情感涓涓流出，
嚴謹中透著飄逸，端莊中帶著靈動，
文中21個「之」字姿態各異，無一雷同。
這就是著名的《蘭亭集序》。

是日也，天朗氣清，
惠風和暢……

3

隋唐

唐朝書法成就最高的要數**楷書**和**草書**。
初唐書壇仍然遵循晉代書法的傳統，
比如**歐陽詢**、**褚遂良**的楷書，
「二王」（王羲之、王獻之父子）的痕跡仍很明顯。
而盛唐以後開始推陳出新，
顏真卿、**柳公權**創造了端莊雄偉、
氣勢開張的楷書新體，
世人稱為「**顏筋柳骨**」。

顏真卿

大唐以胖為美，
我們的楷書也很肉肉。

柳公權將唐楷的法度發展到極致，
他的楷書筆法結構嚴謹，骨力遒勁。
中唐時期，
唐穆宗是一個荒嬉無度、怠於國政的昏君。
有一次，穆宗問柳公權，如何用筆才能盡善，
柳公權的回答讓穆宗神色為之改變。
這就是著名的**筆諫**。

唐代的草書並不遜色於楷書。

初唐**孫過庭**的《**書譜**》，

既是一部書法論著，又是傑出的今草作品。

而盛、中唐的**張旭**與**懷素**，

則將筆走龍蛇的**狂草**藝術推向極致，

二人都十分嗜酒，創作書法時如癲如醉，

世人稱為「**癲張醉素**」。

相傳張旭從公孫大娘的劍器舞中悟出了草書真諦，

而懷素的《**自敘帖**》堪稱唐代狂草的扛鼎之作。

李邕是**唐代行書**首屈一指的大家,
他做過北海太守,世稱「**李北海**」。
唐太宗最早用行書寫碑,
而李北海的行書碑刻可謂蔚為大觀。
他的書法脫胎於王羲之,
但是字的右上角微微聳起,帶有一股英氣。
許多書法家都希望自己的作品得到後人的臨摹,
李北海卻宣稱「似我者俗,學我者死」,
因為藝術需要發揚個性,不可一味模仿。

到了宋代，書法家們在作品中
更多融入自己的個性、意趣，
形成了各具特色的風格。
由於宋代重視文人，
最能體現士大夫閒情逸致的行書成為書壇主流。

蔡襄、蘇東坡、米芾都以**行書**見長，
黃庭堅行、草成就都很高，
宋徽宗趙佶的「瘦金體」雖屬楷書，
運筆卻帶有行書的動感。

慶曆四年（西元1044年），
四川出產了一卷名貴的素絹，40多年都沒人敢寫，
因為絹面滯澀，難以運筆。
元祐三年（西元1088年），
38歲的米芾見到素絹後①，
當仁不讓地題上了自己的詩，這就是《蜀素帖》。
此帖行筆飛揚恣肆，神采生動，
體現了米芾沉著痛快的書風和狂放不羈的藝術家氣質。

① 林希是時任湖州郡守。蜀素織成20多年後，被裝裱
成卷。後來林家又珍藏了20年，直到元祐三年（西
元1088年）八月，林希邀請米芾遊覽苕溪時，出示
家藏的蜀素，請米芾書寫，這才有了《蜀素帖》。

5 元明清

元朝的**趙孟頫**是書法史上一位集大成者。
由於宋代書法過於重視個性而導致風格怪異，
趙孟頫透過學習東晉二王、唐朝李北海等人，
創造了一種骨肉豐腴、雍容華貴的行書新體。
趙體用筆平易流暢，便於學習，很快就流行開來，
並深刻影響了元、明、清書壇。

李北海說
「似我者俗，學我者死」，
夫君學他的字，如何擺脫
「俗死」的境地呢？

我並非一味模仿李北海，
也不只是學他一家，
而是博採眾長。

管道昇

趙孟頫

你乃抬槓

明代書壇中，繼承、發揚趙孟頫風格的
有**唐伯虎**、**文徵明**、**董其昌**等人，
而代表更加浪漫、恣肆之風的書家
有祝**枝山**、**徐渭**和**王鐸**。
由於皇室的崇尚，
趙孟頫、董其昌等人的書體
在清朝一度十分流行。
一些書法理論家
為了糾正趙、董書體軟媚的弊端，
提倡學習北朝碑刻，
開啟了一次以復古為名義的革新潮流。

國家政體
要維新變法，
書法也要維新變法。
這本我寫的
《廣藝舟雙楫》，
又名《書鏡》，
最新上架出售，
歡迎來有為自營店
選購。

康有為

那麼，漢字書寫為什麼成為一門藝術呢？

主要有以下三點原因。

一、漢字的審美基因

象形是漢字最早的造字方法，
就是用線條勾勒物體形狀，具有一種造型美感。
後來增加的新字，也是在象形字的基礎上產生的。
隨著漢字不斷演化，
字形逐漸脫離圖畫意味，變成抽象符號，
可原先的造型美並沒有失去，
反而因為抽象化而提高了美感和表現力。

漢字有數萬個之多，
又具有眾多書體，字形千變萬化。
而世界其他民族的表音文字從形式上看
多為字母的排列組合。
從書法角度看，
漢字筆畫有縱橫、輕重、頓挫等多種形態，
漢字結構又有聚散、虛實、奇正等變化，
漢字排列可縱可橫，可疏可密，
有利於書寫時章法布局、氣韻貫通。
這些都為書寫者提供了創造發揮的空間。

毛筆的筆毫是有彈性的紡錘形，

鋒尖肚圓，可以八面出鋒，

書寫出的筆畫既有立體感，又具力量美。

書寫者可透過緩急、輕重、枯濕、藏露的變化，

來表現線條藝術的

虛與實、剛與柔、方與圓、濃與淡。

毛筆的表現能力

可以使書法作品產生豐富的視覺效果和情感韻致。

懷素

李白

少年上人號懷素，
草書天下稱獨步。
墨池飛出北溟魚，
筆鋒殺盡中山兔。

三、書寫者的感情融入

常言道:「字如其人。」
漢字書寫之所以能成為一門藝術,
最為關鍵的是書寫者在作品中傾注了情感,
從而使書法具有人的生命力。
書寫者的審美情感與表現技巧,
為書法作品注入了
節奏、意態、氣韻、神采等審美價值和文化內涵,
使書法藝術具有既依附於漢字
又超越於漢字的藝術魅力。

唐玄宗天寶十四年（西元755年），安史之亂爆發，
顏真卿的堂兄顏杲卿堅守常山郡，多次擊敗叛軍。
由於太原節度使擁兵觀望，終於在第二年失守。
城破之時，顏杲卿之子顏季明就義。
顏杲卿後因怒罵安祿山遭凌遲，全家三十餘口被害。
兩年後（西元758年），
顏真卿派人替兄長、侄兒善後，
只找到顏杲卿的一隻腳和顏季明的頭骨。

我提拔你為太守，
為什麼反我？

我家世代忠良，
我恨不得殺你以報皇恩，
豈能跟從你造反？

顏杲卿

安祿山

賊臣不救，孤城圍逼，
父陷子死，巢傾卵覆
……嗚呼哀哉！

顏真卿

顏真卿悲憤滿腔，
寫下了著名的《祭侄文稿》。
這篇文稿有多處塗抹，
體現了顏真卿構思文章時的情懷激蕩。
正由於激烈的情感訴諸筆端，
通篇寫得既凝重峻澀而又波瀾起伏：
時而沉鬱痛楚，聲淚俱下；
時而低迴掩抑，痛徹心肝。
悲憤之情出於胸臆、溢於紙上，遂成傳世名作。

宋神宗元豐二年（西元1079年），
蘇東坡遭御史台官員羅織罪名，打入監獄，
後來經人營救，被貶謫黃州。
三年後的寒食節，由於生活窘困，心情鬱悶，
蘇東坡作了兩首詩，詩的意境蒼涼灰暗，
表達了惆悵孤獨的心情，
詩稿就是書法史上著名的《黃州寒食詩帖》。

年年欲惜春，
春去不容惜。
今年又苦雨，
兩月秋蕭瑟。
臥聞海棠花，
泥污燕脂雪。

蘇東坡

空庖煮寒菜，
破竈燒濕葦。
那知是寒食，
但見烏銜紙。

蘇東坡

蘇東坡把詩中情感的變化，
寓於點畫線條的變化之中，
或中鋒，或側鋒，轉換多變，
順手斷聯，渾然天成。
字的結體或大或小，或疏或密，
有輕有重，有長有短；
字裡行間隨著文辭的情緒波動
而有節奏變化、參差錯落，
使書法作品浸潤了詩人
惆悵鬱悶的情感。

漢字本身的造型美，加上書寫者的情感，在毛筆工具的表現力支持下，使中國的漢字書寫從實用層面而蔚然成為藝術，並且在中國古代享有十分崇高的地位。

由於書法作品便於流傳，可留之後世，
書法作品的面貌、風格直接反映了
書寫者的性格、稟賦，
所以書法是古代士人十分重視的「形象工程」。
早在周朝，書法就是貴族必須掌握的六種技能之一。
在唐代，書法成為科舉取士的科目，
明清科舉更是把書法看作辨別考卷優劣的重要標準。

古代許多帝王都很重視書法，
比如唐太宗就非常喜愛王羲之作品，
專門派人從辯才和尚手裡騙取了《蘭亭集序》，
死前還要求將真跡陪葬。
因此，我們今天見到的《蘭亭集序》，
很可能是**馮承素**等人的摹本。

這麼好的作品，
我想用來陪葬。

乖兒子，我駕崩以後，
《蘭亭集序》要陪葬。

李世民

李治

嗯？！

好東西啊！

嘻嘻～

龜兒子，你在想啥？
是不是也在想用它給你陪葬？

中國書法點畫、線條所追求的筆墨神韻，
是構成中國畫的基本要素。
所以，**學水墨畫的人，都要練書法**，
書法是練習水墨畫的基礎。
宋徽宗工筆花鳥的勾勒筆法，
可以見到瘦金體的影子。
篆刻藝術也講究「以書入印，印從書出」。
以筆墨為造型語言的中國美術，
正是建立在書法藝術基礎之上的。

知了——
知了——

哎呀——
不好——

17:57 | 0.9K/s

〈 胖友圈

趙 佶
閒來無事畫個鳥

1分鐘前 刪除

♡ 蔡京，王黼，李邦彥等

蔡京：陛下的工筆畫，再題上瘦
　　　金書，簡直是交相輝映。

趙佶 回覆蔡京：沒有瘦金體的
　　　筆法，哪來工筆畫的勾勒？

古人的不懈追求，
使書法藝術超越了純粹的技法與形式，
達到「道」的境界。
因此，古人視書法為載道的工具、文章的衣冠、
學問修養的外在表現。
南朝王僧虔、唐代張懷瓘等認為，
鑑賞書法應以風神氣韻為首要標準，
其次才是筆墨形式。
這一觀念，代表了古代書法欣賞的主流意見。

孔子

太神了，這門技藝
有「道」嗎？

全神貫注、
熟能生巧以後，
就能百發百中。

無論做什麼事，
凝聚精神練習以後，
就能出神入化。

道

因此，評價書法作品的優劣，不僅僅關乎筆墨，
而且涉及書寫者的人品、學識。
比如宋四家「蘇黃米蔡」中的「蔡」
據說最初指蔡京，
雖然蔡京書法造詣不低，卻是個奸臣，
所以後人將「蔡」換成了蔡襄。
顏真卿一生忠正耿直，最終為國捐軀，
他的書法也頗有君子之風，
故而人品、書品都受到後世景仰。

我人品有問題，
難道書品也有
問題嗎？

揭棺而起

蔡京

唐朝的佛法很厲害，
書法也棒棒噠！
——今日Vlog

空海

到今天，毛筆書法
早已蛻去了實用書
寫的軀殼，成為一
種涵養性情、抒寫
意趣的藝術形式，
同時也是展示中華
傳統文化精髓的一
種視覺載體。

中國書法對日本、韓國等周邊國家
也產生了深遠的影響。
書道在日本是與劍道、茶道並列的傳統技藝。
日本人特別推崇二王、顏真卿等人的書法，
本土也產生了空海等多位書法家。
日文的平假名也多從草書演化而來。

大篆
Greater Seal Script/Big Seal Script

漢字發展演變中的一種書體。與「小篆」相對。有廣狹兩方面含義：狹義專指籀文（先秦刻石書體），以戰國時的秦國石鼓文為其典型代表，其特點是筆畫凝重，構形多重疊，比金文更為規範、嚴正；廣義指「書同文」之前包括金文、籀文及春秋戰國時期各國的刻石文字。秦統一以後為小篆代替。

引例：

◎《史籀》十五篇。〔自注〕周宣王太史作《大篆》十五篇，建武時亡六篇矣。（《漢書·藝文志》）（《史籀》一共有十五篇。〔班固自注〕周宣王時的太史籀創作了《大篆》十五篇，漢光武帝建武年間已經亡佚了六篇。）

◎古籀之亡，不亡於秦，而亡於七國，為其變亂古法，各自立異，使後人不能盡識也。（吳大澂《說文古籀補·敘》）（大篆的滅亡，不是滅亡在秦朝，而是滅亡在戰國七國時期，因為它改亂了古時的書寫方法，每個國家都有各自的書寫形態，致使後人難以全都辨識。）

小篆
Lesser Seal Script/ Small Seal Script

由大篆改造而成的一種字體。秦始皇（西元前259-210年）統一中國後，令丞相李斯（？-西元前208年）等對大篆進行簡化，將小篆頒布為官定標準字體。小篆使用圓潤整齊的線條，減少了異體字，便於書寫和認讀，到漢代為隸書所取代。小篆字體修長，講究對稱，起筆不露鋒毫，收筆自然下垂，筆畫曲折度可以隨心變化，造成多種古樸而優美的形態，一直為書法家所鍾愛，成為中國書法藝術的獨特形態。

引例：

◎〔李〕斯作《倉頡篇》，中車府令趙高作《爰歷篇》，太史令胡毋敬作《博學篇》，皆取史籀大篆，或頗省改，所謂小篆者也。

（許慎《說文解字‧敘》）（李斯寫作的《倉頡篇》，中車府令趙高寫作的《爰歷篇》，太史令胡毋敬寫作的《博學篇》，都是借鑑最早的大篆體字書《史籀篇》，有些字稍稍加以簡化和改造，這就是「小篆」。）

◎唐大曆中，李陽冰篆跡殊絕，獨冠古今，於是刊定《說文》，修正筆法，學者師慕，篆籀中興。

（《宋史‧徐鉉傳》）（唐大曆年間，李陽冰的篆書特別奇妙，獨為古今篆體書法之冠。他刊定了許慎的《說文解字》，修正了有些篆字的筆法。學篆書者仰慕而師從他，篆體書法又興盛起來。）

隸書

Clerical Script/
Offcial Script

漢字發展演變中的一種書體。亦稱「隸字」、「古書」。隸書由篆書簡化演變而成，在筆畫方面，它改篆書的圓轉為方折；在結體方面，其字形多呈寬扁，橫畫長而豎畫短，講究「蠶頭雁尾」、「一波三折」。隸書相傳為秦時小吏程邈所創，實際起源於戰國，而程邈為這一書體的整理與定型至關重要的人物。與篆書相比，隸書的字形結構趨於簡化，書寫方式更為便捷。東漢時期普遍使用隸書，使這一書體的發展達到頂峰。魏晉時期也稱隸書為「楷書」、「正書」，實為似隸而體勢多波磔的「八分」。

引例：

◎是時秦燒滅經書，滌除舊典，大發吏卒，興役戍，官獄職務繁，初有隸書，以趣約易。（許慎《說文解字‧序》）（這時秦始皇焚燒經書，廢除過去的典籍，大規模徵發官吏、士卒去服勞役、守邊疆，使得官府、牢獄的事務非常繁多，於是產生

了隸書，目的是書寫簡易便捷。）

◎秦既用篆，奏事繁多，篆字難成，即令隸人佐書，曰隸字。漢因行之，獨符、印璽、幡信、題署用篆。隸書者，篆之捷也。（《晉書·衛瓘傳附子恆》）（秦代使用篆書，由於奏報的事務繁多，篆書非常難寫，於是命令隸人幫助抄寫文書，故稱之為隸書。漢代沿用這一書體，唯獨兵符、璽印、作符節的旗幟以及匾額、楹柱等上面所題的字仍使用篆書書寫。隸書，是篆書的便捷書寫。）

楷書
Regular Script

漢字發展演變中的一種書體。亦稱「正書」、「真書」、「正楷」。為了減少漢隸的波磔流轉，端正草書的散漫無則，方便書寫和辨識，書家在隸書的基礎上更趨簡化，橫平豎直，逐漸演化出楷書。楷書筆畫平整，結體方正，富有法度，可作楷模，故名「楷書」。它始自漢末，經魏晉時期的探索，到唐代成熟定型，通用至今，長盛不衰。按照時期劃分，楷書可分為魏碑和唐楷。魏碑是指魏、晉、南北朝時期流行的，由隸書向楷書發展的過渡書體。唐楷是指唐代逐漸成熟的楷書。這個時期名家輩出，唐初的虞世南（西元558-638年）、歐陽詢（西元557-641年）、褚遂良（西元596-658或659年），中唐的顏真卿（西元709-785年），晚唐的柳公權（西元778-865年）等，皆是楷書大家，作品為後世所重，奉為習字楷模。

引例：

◎在漢建初有王次仲者，始以隸字作楷法。所謂楷法者，今之正書是也。人既便之，世遂行焉。（《宣和書譜·正書敘論》）（東漢建初年間有一位叫王次仲的人，開始變化隸書來寫作楷書。當時的楷書就是今天所說的正書。人們覺得它書寫方便，於是就推行開了。）

◎〔李充〕善楷書，妙參鍾、索，世咸重之。（《晉書·李充傳》）（〔李充〕善於寫楷書，他妙悟參透了鍾繇、索靖的書法真諦，世人都推重李充的書法。）

草書
Cursive Script

漢字發展演變中的一種書體。按發展歷程可分為草隸、章草、今草、狂草等階段。它始於漢代，主要是為了書寫便捷，提高效率，當時通行的是草隸，後書家損益筆法，逐漸發展為章草。傳至漢末，相傳張芝（？-西元192年？）擺脫了章草中所保留的隸書形跡，上下字之間的筆勢牽連相通，並省減偏旁、相互假借，形成為今草（即今天俗稱的草書）。發展到唐代，張旭、懷素（西元725-785年，一說西元737-799年）等草書大家相繼產生，他們抒發性情、解放懷抱，將草書寫得更為自由縱放，筆勢綿延環繞，章法跌宕起伏，結字大膽奇詭，形態變化多端，成為「狂草」。後人又稱狂草為「大草」，稱今草為「小草」。

引例：
◎往時張旭善草書，不治他技。喜怒窘窮，憂悲、愉佚、怨恨、思慕、酣醉、無聊、不平，有動於心，必於草書焉發之。（韓愈《送高閒上人序》）（從前張旭善於寫草書，無心於其他技藝。遇有欣喜、憤怒、窘迫、困窮，憂傷、悲憤、愉悅、怨恨、思慕、大醉、無聊、不平等，每有心動，都會透過草書發洩出來。）
◎張丞相好草書而不工。當時流輩皆譏笑之，丞相自若也。一日得句，索筆疾書，滿紙龍蛇飛動，使侄錄之。當波險處，侄罔然而止，執所書問曰：「此何字也？」丞相熟視久之，亦自不識，詬其侄曰：「胡不早問？致予忘之！」（釋惠洪《冷齋夜話》卷九）（張〔商英〕丞相喜歡寫草書，但

是很不精通。當時的人都譏笑他，他卻不以為意。一天，他忽然得到佳句，趕忙索要筆墨奮筆疾書，寫了滿紙，字跡龍飛鳳舞。他讓侄兒把詩句抄錄出來。侄兒抄到筆畫怪異的地方，感到疑惑，便停下筆來，拿著丞相所寫的字向他詢問是什麼字。張丞相反覆辨認了很久，也沒認出來自己寫的是什麼字，於是就責罵侄兒說：「你怎麼不早一點問我，以致我也忘了寫的是什麼！」）

行書
Running Script

介於草書和楷書之間的一種書法藝術形態。它保留了隸書的基本結構，以自然連筆、書寫流暢便捷、容易辨識為主要特徵。一般認為行書起源於東漢劉德升，盛行於魏晉。行書有「行進」和「行雲流水」的意思，它沒有固定的形態和寫法，不屬於一種獨立的字體，適合於任何書寫工具，不同人的書寫各有特色。東晉王羲之（西元303-361年，一作307-365年，又作321-379年）的《蘭亭集序》、顏真卿的《祭侄季明文稿》、蘇軾（西元1037-1101年）的《黃州寒食詩帖》是三大行書法帖典範，風格鮮明，具有極高的審美價值。

引例：
◎行書者，後漢潁川劉德升所作也。即正書之小偽，務從簡易，相間流行，故謂之「行書」。（張懷瓘《書斷》卷上）（行書，是後漢潁川郡的劉德升創造的書寫方法。也就是對楷書稍加改變，致力於簡單方便，書寫時，時不時像流水一樣行進，所以叫作「行書」。）
◎所謂「行」者，即真書之少縱略，後簡易相間而行，如雲行水流，穠纖間出。非真非草，離方遁圓，乃楷隸之捷也。（宋曹《書法約言·論行書》）（所謂行書，就是在楷書基礎上稍稍自由簡略一些，其後簡省筆畫，不時出現連筆而行，如行

雲流水一樣，筆道粗細相間。它既不是楷書也不是草書，字形既不方也不圓，是楷書和隸書基礎上的一種快捷書體。）

書道
The Way of Calligraphy

指透過書法創作追求身心合一進而體悟宇宙與生命真諦的藝術境界。受孔子（西元前551-479年）「志於道，據於德，依於仁，遊於藝」的思想影響，尤其是莊子（西元前369？-前286年）「技進乎道」的美學精神導引，書家對書法有更高的藝術追求，希望超越書法的形式與技藝，達到「道」的境界。因唐代書家重視書寫的筆法、技法，故改稱「書法」。「書法」是「書道」的初級階段，屬於技法的、有形的、形而下的範疇；「書道」是「書法」的最高階段，屬於普遍的、抽象的、形而上的範疇。「書道」這一術語後來傳至日本，被賦予了更多修身、養性、悟道等方面的內容，這些又影響了中國近現代書法藝術的發展。

引例：
◎唐中葉以後，書道下衰之際，故弗多得云。（黃伯思《東觀餘論·跋段柯古靖居寺碑後》）（唐代中期之後，書道開始走向衰落，故而上乘書作不可多得。）
◎隸書生於篆書，而實是篆之不肖子，何也？篆書一畫、一直、一鈎、一點，皆有義理，所謂指事、象形、諧聲、會意、轉注、假借是也，故謂之「六書」。隸既變圓為方，改弦易轍，全違父法，是六書之道由隸而絕。（錢泳《履園叢話·書學》）（隸書由篆書生發出來，實際上是篆書的不肖之子，為什麼這麼說呢？篆書的一畫、一直、一鈎、一點，都蘊藏著義理規律，即通常所說的指事、象形、諧聲、會意、轉注、假借，故而稱之為「六書」。隸書將篆書圓潤的書寫形態變為方正，全然

改變篆書的結構規律，違背了篆書的造字方法，所以六書所蘊含的造字規律由隸書而開始斷絕了。）

書者，散也
Calligraphy Expresses Inner Conditions.

寫好書法，先要抒放情性、摒除一切雜念。是東漢著名書法家蔡邕（西元133-192年）在《筆論》中提出的書法觀念。它論述了書法藝術抒發主體情懷的創作心態，強調書家在創作時應先抒放情性、排除一切牽累與功利之心，並將其視為決定書法作品成功與否的關鍵要素。

引例：
◎書者，散也。欲書先散懷抱，任情恣性，然後書之，若迫於事，雖中山兔毫不能佳也。（蔡邕《筆論》，見陳思《書苑菁華》卷一）（從事書法活動，先要抒放情性、排除一切雜念。動筆之前，必須舒展心胸，任憑性情恣意揮灑，然後再展毫書寫，如果是被迫應付從事，即使是用中山產的兔毫佳筆，也寫不出優美的書法作品來。）
◎夫欲攻書之時，當收視反聽，絕慮凝神，心正氣和，則契於玄妙。心神不正，字則攲斜；志氣不和，書必顛覆。（李世民《筆法訣》，見陳思《書苑菁華》卷十九）（想要書寫之時，首先應當對外界之事不看不聽，杜絕思慮，凝聚心神，心思純正，氣息平和，才能寫出玄妙的作品。如果心神不端正，那麼所寫的字就會歪斜；氣息不平和，所寫作品就會失敗。）

南北書派
The Northern and Southern Schools of Calligraphy

中國書法的不同風格流派。宋代歐陽修（西元1007-1072年）、趙孟堅（西元1199-1267年），清代陳奕禧（西元1648-1709年）、何焯（西元1661-1722年）等人對南北書風之不同曾有過探討，清代阮元（西元1764-1849年）的《南北書派論》對此問題有更為明確而詳備的闡述。他以為南北二派都出於鍾繇（西元151-230年）、衛瓘（西元220-291年），索靖（西元239-303年）為北派之祖。北派之書以碑為主，上承漢隸，能得古法，書風古樸；南派之書以帖為主，多不習篆、隸，尚真、行、草書，書風妍麗。

引例：
◎晉宋而下，分而南北……北方多樸，有隸體，無晉逸雅。（趙孟堅《論書法》）（晉宋時期之後，書法分南北兩派……北派書法多質樸，擅長隸書，沒有晉朝時的飄逸和雅致。）
◎東晉、宋、齊、梁、陳，為南派；趙、燕、魏、齊、周、隋，為北派也。……〔南派〕長於啟牘……〔北派〕長於碑榜。……至唐初，太宗獨善王羲之書，虞世南最為親近，始令王氏一家兼掩南北矣。（阮元《南北書派論》）（東晉、宋、齊、梁、陳時期的書法，稱之為南派書法；趙、燕、魏、齊、周、隋等時期的書法，可稱之為北派書法。……南派書法家擅長於書寫奏疏、公文、書信之類……北派書法家擅長於書寫碑文、牌匾之類。……唐太宗李世民尤其喜歡王羲之的書法，大臣虞世南效法學習，將王羲之家族的書法發揚光大，兼得南北派書法之長。）

書聖
The Sage of Calligraphy

東晉時期著名書法家王羲之的「別稱」。「聖」指神聖，中國古代往往將精通某門技藝或在某一方面造詣達到極深之人尊稱為「聖」，以此肯定和稱讚一個人的卓越成就、傑出地位和深遠影響。「書聖」一詞，既強調了王羲之書法藝術的高超，也稱讚了王羲

之道德人格的高尚。王羲之精研體勢，心摹手追，廣採眾長，兼善隸、草、楷、行各體，擺脫了漢魏書風，自成一家。其代表作《蘭亭集序》，被譽為「天下第一行書」。因梁武帝蕭衍（西元464-549年）、唐太宗李世民（西元598-649年）、宋太宗趙光義（西元939-997年）等帝王的大力推崇，歷史上曾出現過三次大規模學習王羲之書法的高潮，由此樹立了王羲之千古「書聖」的美名。

引例：
◎王羲之書字勢雄逸，如龍跳天門，虎臥鳳閣，故歷代寶之，永以為訓。（《梁武帝評書》，見陳思《書苑菁華》卷五）（王羲之的書法，體勢雄渾飄逸，好像是蛟龍躍進天宮大門，猛虎臥在皇宮樓閣，〔可謂達到極致，〕所以歷朝歷代都將其視為珍品，作為永遠的典範。）
◎詳察古今，研精篆素，盡善盡美，其惟王逸少乎。（《晉書・王羲之傳論》）（仔細考察古今書法，對前人的作品透澈精研，所寫書法全都盡善盡美，古今只有王羲之一個人啊。）

尊碑貶帖

Praising Stone
Inscriptions while
Belittling Copying
From Stone
Rubbings

推崇碑刻書法，貶抑單純模仿名家帖書。它是一種書法思潮，也是追求自然多變、推崇個性與創新的書論主張。阮元反對獨尊二王、以學帖為法的悠久傳統，指出帖書和碑刻書體各有所長。包世臣（西元1775-1855年）詳論碑刻書體的特點，有以其優點補帖書之不足的意思。康有為（西元1858-1927年）指出帖書輾轉相傳、失卻原貌是尊碑的客觀原因，碑刻能夠呈現書體的階段性變化和歷史多樣性。康有為認為書論「可著聖道，可發王制，可洞人理，可窮物變」，應該立足現狀考察歷史，窮則思變，其維新變法思想在此初露端倪。

引例：

◎是故短箋長卷，意態揮灑，則帖擅其長；界格方嚴，法書深刻，則碑據其勝。（阮元《北碑南帖論》）（因此無論是短箋還是長卷，隨心揮灑筆墨，是帖書的長處；若論結構方正嚴謹而又下筆深沉有力，則是碑刻的長處。）

◎今日欲尊帖學，則翻之已壞，不得不尊碑。（康有為《廣藝舟雙楫·尊碑》）（今人想要尊崇帖學，但書帖因輾轉翻刻而原貌已被破壞，從而不得不轉而推尊碑體書法。）

識書之道

The Way to Recognize Good Calligraphy

指辨識書法藝術的要訣。南朝王僧虔（西元426-485年）、唐代張懷瓘等人主張，鑑賞書法時以精神氣韻為首要標準，其次才是書法的筆墨形式。他們將富有風神骨氣的書法看作上品，將崇尚美麗形體和功用目的的書法看作下品。這一觀念，代表中國古代書法的主流欣賞標準。

引例：

◎深識書者，惟觀神彩，不見字形。若精意玄鑑，則物無遺照，何有不通？（張懷瓘《文字論》，見張彥遠《法書要錄》卷四）（深通書法的人，主要是觀摩作品內在的神采，而不是外在的字形。如果洞察書法的神韻意趣，那麼作品中的所有方面都能清晰照見，還有什麼不能通達的呢？）

◎智則無涯，法固不定，且以風神骨氣者居上，妍美功用者居下。（張懷瓘《書議》，見張彥遠《法書要錄》卷四）（智慧沒有邊際，法度本不固定，書法作品中以富有風韻、神采、筋骨、氣勢等品格的列為上品，而追求外形華麗和功用目的者則列為下品。）

網友熱議

桂陵君　人品和書品相得益彰，正如文中所言，現代人學習書法更多的是學習「道」，而臨摹的書法家的品質就顯得尤為重要。

hyde　書法雖是微末之技，卻是傳統文化之集大成者，如今依然生機勃勃。有賴於影印技術的發展，更方便今人學習。

無知者無畏，正如《書譜》所說：「不入其門，詎窺其奧者也」；《祭侄文稿》、《黃州寒食詩帖》，有著震撼人心的力量，難以想像《蘭亭集序》真容如何，可惜呀。

幾千年的沉積，窮盡一生尚難探其究竟，於我輩習書者，幸與不幸？

晴朗　西元2015年去台灣玩，正好趕上台北故宮特展蘇軾的《寒食帖》，現場看到實物的時候，那種激動，難以形容。看到千年前大儒蘇東坡、黃庭堅的字就展現在你面前，那是種穿越時空的感覺，完全能從字上感受到東坡先生的性格。

字通靈，這種感覺，在看《上陽臺帖》時，也很明顯，「非有老筆，清壯可窮」，那確實是李白的氣勢。

東東　還有一個傳統文化與書畫密不可分，便是書畫的裝裱藝術。這與西方把畫裝框的方法，截然不同，完全是我們自己的文化符號。而且充滿智慧，既有美觀的展示效果，又便於攜帶收藏。但對於這項技藝的發展歷史，希望鏈一鏈。

帥爸　書法是傳統文化的一部分，文化自信也包括對自己民族文字的喜愛和自豪。話說回來，我覺得象形文字確實比字母文字更具美感和表現力。

hyde	此文甚好。現在我寫文章,依然堅持手書,然後再錄入電腦,編輯發表。感覺只有手書才能表達出自己的情感,我手寫我心,沒有情感的文章沒有靈魂。

王偉建	英語寫好了也可以是藝術,比如《冰與火之歌》裡那些大部頭書籍的書寫。

> 鏟史官:西方文字的書寫,更接近於一種裝飾藝術,比如中世紀的泥金寫經,首字母會有各種細密畫,但是無法成為專門的藝術門類,也無法承載更形而上的東西。

Murph.Wang	像我這種長時間不寫字,有時候突然要寫字時,發現有一個字不會寫了,還需要用一下搜索引擎確定一下寫法。書法這東西還是童子功重要,因為上班後有好多事情要做,很多成人都三天打魚兩天曬網,基本上練成的很少。羨慕那些寫字好看的朋友。

> 鏟史官:童子功固然好,但是學習永遠不遲。朱元璋小時候沒上過幾天學,當皇帝以後字可以寫得很好。

江山風雨情	所謂的字如其人,一手好字,往往會給人不錯的印象分。如鏟史官所說,一手狗爬字,真的不像是什麼文化人。不過書法一道,需要持之以恆的練習,沒有捷徑可走。想速成是不可能的。另外,醫生的字不全是草書,有些東西是縮寫符號,但近年來電子病歷的普及,醫生除簽字外,基本上不存在草書體了。

> 鏟史官:嗯嗯,草書同樣有著嚴格法度,從心所欲不踰矩。

漫畫國學常識關鍵字

為思想盛宴加點笑料，治好你的國學營養不良症

作　　　者　鏟史官
封面設計　許紘維
內頁構成　詹淑娟
執行編輯　柯欣妤
校　　　對　吳小微
行銷企劃　王綬晨、邱紹溢、蔡佳妘
總 編 輯　葛雅茜
發 行 人　蘇拾平

出　　版　原點出版 Uni-Books
　　　　　Facebook：Uni-Books 原點出版
　　　　　Email：uni-books@andbooks.com.tw
　　　　　105401台北市松山區復興北路333號11樓之4
　　　　　電話：（02）2718-2001　傳真：（02）2719-1308
發　　行　大雁文化事業股份有限公司
　　　　　台北市105401松山區復興北路333號11樓之4
　　　　　24小時傳真服務　（02）2718-1258
　　　　　讀者服務信箱 Email: andbooks@andbooks.com.tw
　　　　　劃撥帳號：19983379
戶　　名　大雁文化事業股份有限公司

初版 1 刷　2022年5月
初版 3 刷　2024年1月

定　　價　440元
ISBN　978-626-7084-18-2（平裝）
ISBN　978-626-7084-22-9（EPUB）

國家圖書館出版品預行編目(CIP)資料

漫畫國學常識關鍵字 / 鏟史官著. --
初版. -- 臺北市：原點出版：大雁文化
事業股份有限公司發行, 2022.05
352面；14.8×21公分
ISBN 978-626-7084-18-2(平裝)

1.CST: 漢學 2.CST: 通俗作品

030　　　　　　　　　　　111005199

©外語教學與研究出版社有限責任公司
本作品為「中華思想文化術語傳播工程」成果，中文繁體版通過成都天鳶文化傳播有限公司代理，經
外語教學與研究出版社有限責任公司授予大雁文化事業股份有限公司 原點出版事業部獨家發行，非
經書面同意，不得以任何形式，任意重製轉載。
圖書許可發行核准字號：文化部部版臺陸字第111037號
出版說明：本書係由簡體版圖書《漫畫中國文化關鍵詞》以正體字在臺灣重製發行，期能藉引進華文
好書以饗臺灣讀者。